CARRÉS CLASSIQUES

Collection LYCÉE dirigée par
Sophie Pailloux-Riggi
Agrégée de Lettres modernes

Honoré de Balzac

L'Auberge rouge

1831

texte intégral

ernes

Nathan

sommaire

Contextes

Lire *L'Auberge rouge*

ISBN 978-2-09-189263-4

Dossier central images en couleu

Relire *L'Auberge rouge*

sommaire

Qui est Balzac en 1831 ?

Un homme à succès

En 1831, Balzac est un écrivain connu, même si, hormis *Les Chouans*, il n'a encore écrit aucun des grands récits qui le feront passer à la postérité. Après la *Physiologie du mariage* en décembre 1829, qui lui a valu un succès de scandale, il a publié, en 1830, au terme d'une intense activité littéraire, les premières *Scènes de la vie privée*. Elles font de lui un écrivain de la vie moderne, habile à saisir les aspects du quotidien dans des milieux sociaux différents, en leur conférant un aspect sérieux, voire dramatique, qui tranche avec la tradition classique. Il s'est également essayé à des récits mi-fantastiques, dans la lignée romantique des contes d'Hoffmann, et mi-philosophiques (*Contes philosophiques*). En outre, Balzac, qui vit aussi du journalisme, a compris l'intérêt que peut présenter cette activité pour établir sa notoriété. Avec des méthodes qui annoncent les campagnes contemporaines de promotion, il suscite le débat autour de ses œuvres dans la presse, en n'hésitant pas à faire signer par des prête-noms des préfaces ou articles élogieux sur ses œuvres. Il ne manque pas de détracteurs qui le détestent pour des raisons plus ou moins légitimes. Mais l'essentiel n'est-il pas que l'on parle de lui ? Sa vie privée ne manque pas non plus d'animation : salons mondains, conquêtes féminines, souvent éphémères, parfois sulfureuses. Balzac vit intensément. Mais il dépense sans compter, tout en multipliant les affaires financières désastreuses : le temps des dettes à rembourser n'est pas très loin, qui vont hypothéquer durablement la seconde partie de sa vie.

« *Un écrivain de la vie moderne, habile à saisir les aspects du quotidien.* »

L'Auberge rouge : une œuvre « mineure » ?

À la fin de 1830, Balzac met en chantier une œuvre plus ambitieuse, qu'il dénomme « conte fantastique », *La Peau de chagrin*. Il la rédige au cours de l'année 1831 ; elle sera éditée en août 1831, mais deux parties importantes sont publiées en mai sous forme de feuilleton dans la presse. Elle connaît un accueil qui assure définitivement la notoriété de son auteur. *L'Auberge rouge* a été écrite très rapidement, au moment même où il mettait la dernière main à *La Peau de chagrin*, et elle paraît en feuilleton dans *La Revue de Paris*, les 10 et 27 août 1831. La parenté entre les deux œuvres, suggérée par la chronologie, est encore accentuée par un choix postérieur : lorsque Balzac conçoit le principe du retour des personnages dans toute son œuvre. Le richissime banquier anonyme qui donne le festin de *La Peau de chagrin* et le convive du dîner de *L'Auberge rouge* deviennent le personnage unique de Frédéric Taillefer. Sa fille Victorine, aimée par le narrateur est aussi courtisée un temps par Rastignac dans *Le Père Goriot*, à l'initiative de Vautrin, qui va organiser la mort du frère de la jeune fille pour lui permettre de devenir la riche et unique héritière de son père. L'œuvre se trouvera ainsi reliée de manière déterminante à deux récits majeurs de *La Comédie humaine*, autour des thèmes centraux de l'origine douteuse des grandes fortunes sous la Restauration et du crime qui les fonde.

Un récit significatif des préoccupations de Balzac en 1831

L'auberge est traditionnellement un lieu de rencontre, où se croisent les personnes, les destins, les histoires. Celle de Balzac ne déroge pas à la règle. Entre deux rives du Rhin, entre deux cultures différentes, entre deux moments historiques que sépare la Révolution française, elle concentre plusieurs des questionnements balzaciens. Trois fils au moins s'entrecroisent dans *L'Auberge rouge* et s'y donnent rendez-vous dans un jeu de miroirs. L'un est archéologique, il conduit à l'origine inavouable du monde contemporain, né dans le séisme révolutionnaire. Un autre est psychologique, il s'enfonce vers les mystères des forces de l'esprit, notamment sa puissance destructrice. Un troisième est narratif, il suit le pouvoir qu'ont les fictions de révéler indirectement les vérités impossibles à saisir immédiatement, les secrets sur lesquels repose, ou plutôt se tourmente, la réalité visible. *L'Auberge rouge* est un creuset où viennent converger les fantômes du passé, les compromissions du présent, les questions de l'avenir, en une synthèse dangereuse, voire mortelle pour ceux qui y sont confrontés. ■

« L'auberge est traditionnellement un lieu de rencontre, où se croisent les personnes, les destins, les histoires. »

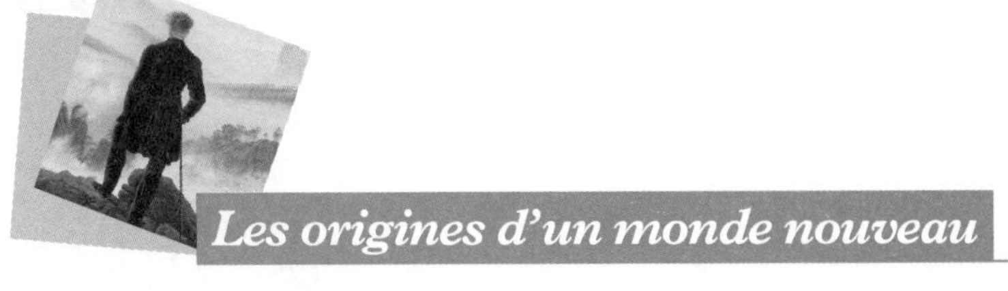

Les origines d'un monde nouveau

Le mal-être d'une génération...

En situant l'origine de son récit à l'époque révolutionnaire, Balzac manifeste son intérêt pour cette période qu'il avait traitée peu avant dans *Les Chouans*. Il se rattache par là plus profondément au courant romantique qui voit dans la Révolution française une phase de rupture et de crise par rapport au monde ancien. Le destin des deux jeunes gens plongés malgré eux dans le tourbillon d'une Histoire dont ils perçoivent à peine les enjeux symbolise celui d'une génération partagée entre les valeurs du passé et les incertitudes du monde à naître. Le choix qu'ils ont à faire dans l'auberge, dont ils ne mesurent pas l'importance, est pourtant celui que devront effectuer désormais tous les jeunes gens. Ce sera au prix d'un déchirement, d'une mauvaise conscience, explicite ou refoulée, d'un divorce entre le moi et le monde : « le mal du siècle ».

> *« La Révolution française une phase de rupture et de crise par rapport au monde ancien. »*

... confronté à la dure réalité de la Restauration

Pour les jeunes héros de Balzac ce mal prend une forme plus précise : pourront-ils éviter d'avoir du sang sur les mains pour réussir leur vie ? Derrière le romantisme de façade, l'écrivain amorce une réflexion sur le malaise profond qui lui paraît constituer

1799
Naissance de Balzac

Ier Empire (Napoléon Ier) — 1815 — Restauration (Louis XVIII, Charles X) — 1830

1815 : Napoléon abdique.

1823
Stendhal, *Racine et Shakespeare* (manifeste du romantisme)

1829
Les Chouans.
Physiologie du mariage

1830 : Victor Hugo, *Hernani*.
Stendhal, *Le Rouge et le Noir*

la réalité de son temps. Le monde de la Restauration, tout en paraissant rétablir l'ordre antérieur à la Révolution, fait émerger des catégories sociales et des hommes nouveaux. Il repose sur des bases inédites, le plus souvent occultes, qui bouleversent les valeurs admises depuis des siècles. Comment se sont constituées les fortunes des nouveaux riches comme Taillefer qui tiennent table ouverte, ou de ceux plus discrets, comme Goriot ou Gobseck, que leur état empêche de paraître, mais qui tirent en secret les ficelles ? Que doivent faire les jeunes ambitieux comme Rastignac ou le narrateur de *L'Auberge rouge* lorsqu'ils découvrent la vérité ? Renoncer, et se perdre dans une vie médiocre, ou se compromettre en oubliant les principes de leur éducation ? Balzac lève le voile des apparences pour débusquer la nature profonde de la réalité, il invente le réalisme. Au lecteur de juger. ■

« Une réflexion sur le malaise profond qui lui paraît constituer la réalité de son temps. »

1831
La Peau de Chagrin.
L'Auberge rouge.
Maître Cornélius

1834
Le Père Goriot

1835
Études philosophiques
(1re édition)

1842
Gobseck

1850
Mort de Balzac

Monarchie de Juillet (Louis-Philippe) **1848** **IIe République**

1831
Victor Hugo, *Notre Dame de Paris.*
Delacroix, *La Liberté guidant le peuple*

Écrire une « étude philosophique » en 1830

Le contexte troublé des années 1830 est propice aux questionnements de tous ordres. L'ambition philosophique de Balzac prend naissance dans le monde incertain qui suit la fin de la Révolution et de l'Empire.

Les zones d'ombre de la conscience

> *« Balzac s'intéresse aux phénomènes obscurs de la conscience et de l'inconscient. »*

La vogue de la littérature allemande en France à cette époque a permis la divulgation d'une thématique romantique centrée sur les phénomènes obscurs de la conscience et de l'inconscient que les théories psychanalytiques n'ont pas encore étudiés : rêves, hallucinations, délires. Ils s'associent souvent à des croyances qui vont de la superstition la plus banale à la foi mystique, dans un ensemble hétéroclite dont le point commun est le rejet du rationalisme réducteur, ou jugé tel, de la philosophie des Lumières. Le fantastique est l'expression littéraire privilégiée de cette tendance, comme en témoigne le succès de la traduction des *Contes* d'Hoffmann. Balzac subit fortement les influences de ce contexte.

En France, Charles Nodier fait figure d'initiateur avec ses récits où prédomine une tendance marquée à la rêverie et aux états troubles de la pensée. Il publie un article « Du fantastique en littérature » (1830) et surtout, en 1831, un essai, *Sur quelques phénomènes du sommeil*, qui attire l'attention de Balzac. Ce dernier lui répond en développant ses propres thèses, notamment à propos du somnambulisme, qui trouvent un écho certain dans *L'Auberge rouge* et *Maître Cornélius*, récits parus à la fin de l'année 1831. C'est donc dans ce contexte très précis qu'il convient d'inscrire, pour une part, la rédaction de l'œuvre. Les références du narrateur à l'art divinatoire, les mystérieux symptômes qui affectent Taillefer, la télépathie entre Magnan et celui-ci qui s'est peut-être exercée au moment du crime, l'emprise étrange que le narrateur exerce sur Taillefer sont autant de manifestations de ces phénomènes obscurs de la conscience, qui échappent à toute approche rationnelle.

La « pensée qui tue »

En 1834, en ouverture *des Études philosophiques* (qui inclut *L'Auberge rouge*), Balzac fait signer par Félix Davin une « Introduction » qu'il a probablement lui-même rédigée ou du moins fortement inspirée. La thèse centrale qu'il expose est celle de la puissance désorganisatrice de la pensée dès lors qu'elle devient passion et atteint toute son intensité : la pensée brûle celui qui s'en nourrit. Cette thèse s'inscrit dans une conception plus large de l'énergie vitale qui « décroît en raison directe de la puissance des désirs ou de la dissipation des idées » (*La Peau de chagrin*). Les personnages imaginés par Balzac à cette époque se partagent donc logiquement entre ceux qui économisent leur énergie, comme Gobseck ou l'antiquaire de *La Peau de chagrin*, et ceux qui la gaspillent. *L'Auberge rouge* reprend l'idée de la puissance destructrice de la pensée : Prosper Magnan va désirer le crime jusqu'à le commettre en pensée, Taillefer, qui n'est peut-être que son double, l'exécutera. *L'Auberge rouge* s'inscrit donc dans le cadre d'une réflexion philosophique qui s'exprime au travers d'une galerie de personnages et de situations qui en sont l'illustration concrète.

La connaissance d'un monde caché

Mais la pensée permet aussi de comprendre le monde, d'en révéler les données invisibles, quels qu'en soient les ressorts. *L'Auberge rouge* montre comment la puissance de la pensée peut faire surgir les secrets les mieux cachés. D'abord celle d'Hermann, qui acquiert la conviction de l'innocence de Prosper Magnan contre toute évidence, puis celle du narrateur dont la « science divinatoire » va percer l'énigme vivante que constitue Taillefer. La vérité sur le crime oublié, l'origine de la fortune de Taillefer, les assises douteuses du monde contemporain des personnages est révélée. Mais cette vérité est-elle bonne à savoir ? Il y a peut-être une démesure à vouloir s'approprier les clés de la connaissance, qui se retourne contre celui qui veut les détenir et qui le tue. Balzac, à sa manière, invite à réfléchir sur ce mot de Nietzsche : « On ne peut pas vivre avec la Vérité. » ■

« La pensée brûle celui qui s'en nourrit. »

« Ce qu'il y a de terrible quand on cherche la vérité, c'est qu'on la trouve. »

Rémy de Gourmont

Lire…

L'Auberge rouge

1831

Honoré de Balzac

Texte intégral

À MONSIEUR LE MARQUIS DE CUSTINE[1].

EN JE NE SAIS QUELLE ANNÉE[2], un banquier de Paris, qui avait des relations commerciales très étendues en Allemagne, fêtait un de ces amis, longtemps inconnus, que les négociants se font de place en place, par correspondance. Cet ami, chef de je ne sais quelle maison assez importante de Nuremberg, était un bon gros Allemand, homme de goût et d'érudition, homme de pipe surtout, ayant une belle, une large figure nurembergeoise, au front carré, bien découvert, et décoré de quelques cheveux blonds assez rares. Il offrait le type des enfants de cette pure et noble Germanie, si fertile en caractères honorables, et dont les paisibles mœurs ne se sont jamais démenties, même après sept invasions. L'étranger riait avec simplesse, écoutait attentivement, et buvait remarquablement bien, en paraissant aimer le vin de Champagne autant peut-être que les vins paillés du Johannisberg[3]. Il se nommait Hermann, comme presque tous les Allemands mis en scène par les auteurs. En homme qui ne sait rien faire légèrement, il était bien assis à la table du banquier, mangeait avec ce tudesque[4] appétit si célèbre en Europe, et disait un adieu consciencieux à la cuisine du grand Carême[5]. Pour faire honneur à son hôte, le maître du logis avait convié quelques amis intimes, capitalistes ou commerçants, plusieurs femmes aimables, jolies, dont le gracieux babil[6] et les manières franches étaient en harmonie avec la cordialité germanique. Vraiment, si vous aviez pu voir, comme j'en eus le plaisir, cette joyeuse réunion de gens qui avaient rentré leurs griffes commerciales pour spéculer sur les plaisirs de la vie, il vous eût été difficile de haïr les escomptes

L'Allemand stéréotypé

Balzac présente une image volontairement caricaturale de l'Allemand tel qu'il est perçu à cette époque : bon vivant, candide, pacifique, serviable, respirant la bonté. On retrouve ce cliché dans le portrait de l'aubergiste d'Andernach et de sa femme. Mais l'Allemagne est aussi le pays de la pensée et de la poésie, le berceau du romantisme, dont le Rhin est le symbole. Cette image a été diffusée, à partir de 1810, de manière plus subtile, par Madame de Staël dans son ouvrage *De l'Allemagne*. ■

1. Auteur de *La Russie en 1839* (1843).
2. Vers la fin de 1830, selon l'édition originale.
3. Vignoble rhénan qui produit un vin couleur paille.
4. Allemand.
5. Cuisinier célèbre (1784-1833).
6. Bavardage agréable et vif.

usuraires ou de maudire les faillites. L'homme ne peut pas toujours mal faire. Aussi, même dans la société des pirates, doit-il se rencontrer quelques heures douces pendant lesquelles vous croyez être, dans leur sinistre vaisseau, comme sur une escarpolette[1].

– Avant de nous quitter, monsieur Hermann va nous raconter encore, je l'espère, une histoire allemande qui nous fasse bien peur.

Ces paroles furent prononcées au dessert par une jeune personne pâle et blonde qui, sans doute, avait lu les contes d'Hoffmann[2] et les romans de Walter Scott[3]. C'était la fille unique du banquier, ravissante créature dont l'éducation s'achevait au Gymnase[4], et qui raffolait des pièces qu'on y joue. En ce moment les convives se trouvaient dans cette heureuse disposition de paresse et de silence où nous met un repas exquis, quand nous avons un peu trop présumé de notre puissance digestive. Le dos appuyé sur sa chaise, le poignet légèrement soutenu par le bord de la table, chaque convive jouait indolemment avec la lame dorée de son couteau. Quand un dîner arrive à ce moment de déclin, certaines gens tourmentent le pépin d'une poire ; d'autres roulent une mie de pain entre le pouce et l'index ; les amoureux tracent des lettres informes avec les débris des fruits ; les avares comptent leurs noyaux et les rangent sur leur assiette comme un dramaturge dispose ses comparses au fond d'un théâtre. C'est de petites félicités gastronomiques dont n'a pas tenu compte dans son livre Brillat-Savarin[5], auteur si complet d'ailleurs. Les valets avaient disparu. Le dessert était comme une escadre après le combat, tout désemparé, pillé, flétri. Les plats erraient sur la table, malgré l'obstination avec laquelle la maîtresse

1. Sorte de balançoire.
2. Écrivain allemand (1776-1822), auteur de *Contes fantastiques*, très admiré des romantiques.
3. Écrivain écossais (1771-1832), auteur de romans historiques, admiré de Balzac.
4. Théâtre parisien.
5. Gastronome français (1755-1826), auteur de *La Physiologie du goût*.

du logis essayait de les faire remettre en place. Quelques personnes regardaient des vues de Suisse symétriquement accrochées sur les parois grises de la salle à manger. Nul convive ne s'ennuyait. Nous ne connaissons point d'homme qui se soit encore attristé pendant la digestion d'un bon dîner. Nous aimons alors à rester dans je ne sais quel calme, espèce de juste milieu entre la rêverie du penseur et la satisfaction des animaux ruminants, qu'il faudrait appeler la mélancolie matérielle de la gastronomie. Aussi les convives se tournèrent-ils spontanément vers le bon Allemand, enchantés tous d'avoir une ballade à écouter, fût-elle même sans intérêt. Pendant cette benoîte[6] pause, la voix d'un conteur semble toujours délicieuse à nos sens engourdis, elle en favorise le bonheur négatif. Chercheur de tableaux, j'admirais ces visages égayés par un sourire, éclairés par les bougies, et que la bonne chère[7] avait empourprés ; leurs expressions diverses produisaient de piquants effets à travers les candélabres, les corbeilles en porcelaine, les fruits et les cristaux.

Mon imagination fut tout à coup saisie par l'aspect du convive qui se trouvait précisément en face de moi. C'était un homme de moyenne taille, assez gras, rieur qui avait la tournure, les manières d'un agent de change, et qui paraissait n'être doué que d'un esprit fort ordinaire, je ne l'avais pas encore remarqué ; en ce moment, sa figure, sans doute assombrie par un faux jour, me parut avoir changé de caractère ; elle était devenue terreuse ; des teintes violâtres la sillonnaient. Vous eussiez dit de la tête cadavérique d'un agonisant. Immobile comme les personnages peints dans un Diorama[8], ses yeux hébétés restaient fixés sur les étincelantes facettes d'un bouchon de cristal ; mais il ne

6. Douce, heureuse.
7. Nourriture.
8. Vues ou tableaux peints sur des toiles que l'on animait en trompe l'œil par un jeu de lumières.

les comptait certes pas, et semblait abîmé dans quelque contemplation fantastique de l'avenir ou du passé. Quand j'eus longtemps examiné cette face équivoque, elle me fit penser :

– Souffre-t-il ? me dis-je. A-t-il trop bu ? Est-il ruiné par la baisse des fonds publics ? Songe-t-il à jouer ses créanciers ?

– Voyez ! dis-je à ma voisine en lui montrant le visage
100 de l'inconnu, n'est-ce pas une faillite en fleur ?

– Oh ! me répondit-elle, il serait plus gai.

Puis hochant gracieusement la tête, elle ajouta :

– Si celui-là se ruine jamais, je l'irai dire à Pékin ! Il possède un million en fonds de terre ! C'est un ancien fournisseur des armées impériales, un bon homme assez original. Il s'est remarié par spéculation, et rend néanmoins sa femme extrêmement heureuse. Il a une jolie fille que, pendant fort longtemps, il n'a pas voulu reconnaître ; mais la mort de son fils, tué malheureusement en duel, l'a
110 contraint à la prendre avec lui, car il ne pouvait plus avoir d'enfants. La pauvre fille est ainsi devenue tout à coup une des plus riches héritières de Paris. La perte de son fils unique[1] a plongé ce cher homme dans un chagrin qui reparaît quelquefois.

En ce moment, le fournisseur leva les yeux sur moi ; son regard me fit tressaillir, tant il était sombre et pensif ! Assurément ce coup d'œil résumait toute une vie. Mais tout à coup sa physionomie devint gaie ; il prit le bouchon de cristal, le mit, par un mouvement machinal, à une carafe
120 pleine d'eau qui se trouvait devant son assiette, et tourna la tête vers monsieur Hermann en souriant. Cet homme, béatifié par ses jouissances gastronomiques, n'avait sans doute

1. Voir les circonstances dans *Le Père Goriot*.

pas deux idées dans la cervelle, et ne songeait à rien. Aussi eus-je, en quelque sorte, honte de prodiguer ma science divinatoire *in anima vili*[2] d'un épais financier. Pendant que je faisais, en pure perte, des observations phrénologiques[3], le bon Allemand s'était lesté le nez d'une prise de tabac, et commençait son histoire. Il me serait assez difficile de la reproduire dans les mêmes termes, avec ses interruptions fréquentes et ses digressions verbeuses. Aussi l'ai-je écrite à ma guise, laissant les fautes au Nurembergeois, et m'emparant de ce qu'elle peut avoir de poétique et d'intéressant, avec la candeur des écrivains qui oublient de mettre au titre de leurs livres : *traduit de l'allemand*.

130

2. Expression latine signifiant « sur l'âme vile », c'est-à-dire basse, emplie de vices.
3. Discipline médicale qui prétendait étudier les caractères et les fonctions intellectuelles d'après la forme du crâne.

La seconde coalition

L'action se déroule pendant les guerres de la Révolution. La seconde coalition, qui réunit notamment la Grande Bretagne, l'Autriche et la Russie contre la France, cherche à abattre le régime révolutionnaire, avec l'aide des partisans de l'Ancien Régime. Le conflit s'achèvera par la Paix d'Amiens (1802) à laquelle fait référence la fin du récit d'Hermann. ■

L'idée et le fait

VERS LA FIN DE VENDÉMIAIRE, AN VII, époque républicaine qui, dans le style actuel, correspond au 20 octobre 1799, deux jeunes gens, partis de Bonn dès le matin, étaient arrivés à la chute du jour aux environs d'Andernach, petite ville située sur la rive gauche du Rhin, à quelques lieues de Coblentz. En ce moment, l'armée française commandée par le général Augereau[1] manœuvrait en présence des Autrichiens, qui occupaient la rive droite du fleuve. Le quartier général de la division républicaine était à Coblentz, et l'une des demi-brigades appartenant au corps d'Augereau se trouvait cantonnée à Andernach. Les deux voyageurs étaient Français. À voir leurs uniformes bleus mélangés de blanc, à parements de velours rouge, leurs sabres, surtout le chapeau couvert d'une toile cirée verte, et orné d'un plumet tricolore, les paysans allemands eux-mêmes auraient reconnu des chirurgiens militaires, hommes de science et de mérite, aimés pour la plupart, non seulement à l'armée, mais encore dans les pays envahis par nos troupes. À cette époque, plusieurs enfants de famille arrachés à leur stage médical par la récente loi sur la conscription due au général Jourdan[2] avaient naturellement mieux aimé continuer leurs études sur le champ de bataille que d'être astreints au service militaire, peu en harmonie avec leur éducation première et leurs paisibles destinées. Hommes de science, pacifiques et serviables, ces jeunes gens faisaient quelque bien au milieu de tant de malheurs, et sympathisaient avec les érudits des diverses contrées par lesquelles passait la cruelle civilisation de la République. Armés, l'un et l'autre, d'une feuille de route

1. Général de la Révolution et maréchal d'Empire (1757-1816), commandant de l'armée du Rhin pendant la seconde coalition (voir ci-dessus).
2. Loi du 5 septembre 1798 qui institua le service militaire obligatoire, à l'initiative du général Jourdan (1762-1833), futur maréchal d'Empire.

et munis d'une commission de *sous-aide* signée Coste[3] et Bernadotte[4], ces deux jeunes gens se rendaient à la demi-brigade à laquelle ils étaient attachés. Tous deux appartenaient à des familles bourgeoises de Beauvais médiocrement riches, mais où les mœurs douces et la loyauté des provinces se transmettaient comme une partie de l'héritage. Amenés sur le théâtre de la guerre avant l'époque indiquée pour leur entrée en fonctions, par une curiosité bien naturelle aux jeunes gens, ils avaient voyagé par la diligence jusqu'à Strasbourg. Quoique la prudence maternelle ne leur eût laissé emporter qu'une faible somme, ils se croyaient riches en possédant quelques louis, véritable trésor dans un temps où les assignats[5] étaient arrivés au dernier degré d'avilissement, et où l'or valait beaucoup d'argent. Les deux sous-aides, âgés de vingt ans au plus, obéirent à la poésie de leur situation avec tout l'enthousiasme de la jeunesse. De Strasbourg à Bonn, ils avaient visité l'Électorat[6] et les rives du Rhin en artistes, en philosophes, en observateurs. Quand nous avons une destinée scientifique, nous sommes à cet âge des êtres véritablement multiples. Même en faisant l'amour, ou en voyageant, un sous-aide doit thésauriser les rudiments de sa fortune ou de sa gloire à venir. Les deux jeunes gens s'étaient donc abandonnés à cette admiration profonde dont sont saisis les hommes instruits à l'aspect des rives du Rhin et des paysages de la Souabe[7], entre Mayence et Cologne ; nature forte, riche, puissamment accidentée, pleine de souvenirs féodaux, verdoyante, mais qui garde en tous lieux les empreintes du fer et du feu. Louis XIV et Turenne ont cautérisé cette ravissante contrée[8]. Çà et là, des ruines attestent l'orgueil, ou peut-être la prévoyance

3. Premier médecin des armées (1741-1819).
4. Général de la Révolution et maréchal d'empire (1763-1844). Ministre de la guerre à cette époque.
5. Papier monnaie créé par la Révolution qui s'était complètement dévalué.
6. Terme désignant la région de Rhénanie-Palatinat (en Allemagne).
7. Erreur de Balzac : cette région n'est pas la Souabe, mais la Rhénanie-Palatinat.
8. « Brûlé au fer rouge », allusion au saccage du Palatinat par les armées de Louis XIV en 1674 pendant la guerre de Hollande.

du roi de Versailles qui fit abattre les admirables châteaux dont était jadis ornée cette partie de l'Allemagne. En voyant cette terre merveilleuse, couverte de forêts, et où le pittoresque du Moyen Âge abonde, mais en ruines, vous concevez le génie allemand, ses rêveries et son mysticisme. Cependant le séjour des deux amis à Bonn avait un but de science et de plaisir tout à la fois. Le grand hôpital de l'armée gallo-batave[1] et de la division d'Augereau était établi dans le palais même de l'Électeur. Les sous-aides 70 de fraîche date y étaient donc allés voir des camarades, remettre des lettres de recommandation à leurs chefs, et s'y familiariser avec les premières impressions de leur métier. Mais aussi, là, comme ailleurs, ils dépouillèrent quelques-uns de ces préjugés exclusifs auxquels nous restons si longtemps fidèles en faveur des monuments et des beautés de notre pays natal. Surpris à l'aspect des colonnes de marbre dont est orné le palais électoral, ils allèrent admirant le grandiose des constructions allemandes, et trouvèrent à chaque pas de nouveaux trésors 80 antiques ou modernes. De temps en temps, les chemins dans lesquels erraient les deux amis en se dirigeant vers Andernach les amenaient sur le piton d'une montagne de granit plus élevée que les autres. Là, par une découpure de la forêt, par une anfractuosité des rochers, ils apercevaient quelque vue du Rhin encadrée dans le grès ou festonnée par de vigoureuses végétations. Les vallées, les sentiers, les arbres exhalaient cette senteur automnale qui porte à la rêverie ; les cimes des bois commençaient à se dorer, à prendre des tons chauds et bruns, signes de vieil- 90 lesse ; les feuilles tombaient, mais le ciel était encore d'un bel azur, et les chemins, secs, se dessinaient comme des

Le Rhin

Balzac n'avait pas vu le Rhin à cette époque, il le décrit à partir de sa documentation et d'images de l'époque. Il en donne une image double et contrastée : d'un côté un paysage idyllique, paisible et rassurant, de l'autre une sombre atmosphère de guerre et de mort. Il s'agit là d'images traditionnelles de la littérature romantique. ■

1. Franco-hollandaise.

lignes jeunes dans le paysage, alors éclairé par les obliques rayons du soleil couchant. À une demi-lieue d'Andernach, les deux amis marchèrent au milieu d'un profond silence, comme si la guerre ne dévastait pas ce beau pays, et suivirent un chemin pratiqué pour les chèvres à travers les hautes murailles de granit bleuâtre entre lesquelles le Rhin bouillonne. Bientôt ils descendirent par un des versants de la gorge au fond de laquelle se trouve la petite ville, assise avec coquetterie au bord du fleuve, où elle offre un joli port aux mariniers.

– L'Allemagne est un bien beau pays, s'écria l'un des deux jeunes gens, nommé Prosper Magnan, à l'instant où il entrevit les maisons peintes d'Andernach, pressées comme des œufs dans un panier, séparées par des arbres, par des jardins et des fleurs.

Puis il admira pendant un moment les toits pointus à solives[2] saillantes, les escaliers de bois, les galeries de mille habitations paisibles, et les barques balancées par les flots dans le port…

Au moment où monsieur Hermann prononça le nom de Prosper Magnan, le fournisseur saisit la carafe, se versa de l'eau dans son verre, et le vida d'un trait. Ce mouvement ayant attiré mon attention, je crus remarquer un léger tremblement dans ses mains et de l'humidité sur le front du capitaliste.

– Comment se nomme l'ancien fournisseur ? demandai-je à ma complaisante voisine.

– Taillefer, me répondit-elle.

– Vous trouvez-vous indisposé ? m'écriai-je en voyant pâlir ce singulier personnage.

Andernach vue par Hugo en 1838

« Je ne comprends rien aux "touristes". Ceci est un endroit admirable. Je viens 100 de parcourir le pays qui est superbe. Du haut des collines, la vue embrasse un cirque de géants [...]. Ici, il n'y a pas une pierre des édifices qui ne soit un souvenir, pas un détail du paysage qui ne soit une grâce. Les habitants ont ce visage affectueux et bon qui réjouit l'étranger. L'auberge (*l'Hôtel-de-l'Empereur*) est excellente 110 entre les meilleures d'Allemagne. Andernach est une ville charmante ; eh bien ! Andernach est une ville déserte. Personne n'y vient. – On va où est la cohue, à Coblentz, à Bade, à Mannheim ; on ne vient pas où est l'histoire, où est la nature, où est la poésie, à Andernach. » ■

V. Hugo, *Le Rhin, Lettres* 120 *à un ami*, lettre XIII, 1842.

2. Poutres.

– Nullement, dit-il en me remerciant par un geste de politesse. J'écoute, ajouta-t-il en faisant un signe de tête aux convives, qui le regardèrent tous simultanément.

– J'ai oublié, dit monsieur Hermann, le nom de l'autre jeune homme. Seulement, les confidences de Prosper Magnan m'ont appris que son compagnon était brun, assez maigre et jovial. Si vous le permettez, je l'appellerai Wilhem, pour donner plus de clarté au récit de cette his-
130 toire.

Le bon Allemand reprit sa narration après avoir ainsi, sans respect pour le romantisme et la couleur locale, baptisé le sous-aide français d'un nom germanique.

– Au moment où les deux jeunes gens arrivèrent à Andernach, il était donc nuit close. Présumant qu'ils perdraient beaucoup de temps à trouver leurs chefs, à s'en faire reconnaître, à obtenir d'eux un gîte militaire dans une ville déjà pleine de soldats, ils avaient résolu de passer leur dernière nuit de liberté dans une auberge située à une cen-
140 taine de pas d'Andernach, et de laquelle ils avaient admiré, du haut des rochers, les riches couleurs embellies par les feux du soleil couchant. Entièrement peinte en rouge, cette auberge produisait un piquant effet dans le paysage, soit en se détachant sur la masse générale de la ville, soit en opposant son large rideau de pourpre à la verdure des différents feuillages, et sa teinte vive aux tons grisâtres de l'eau. Cette maison devait son nom à la décoration extérieure qui lui avait été sans doute imposée depuis un temps immémorial par le caprice de son fondateur. Une superstition mercan-
150 tile assez naturelle aux différents possesseurs de ce logis, renommé parmi les mariniers du Rhin, en avait fait soigneusement conserver le costume. En entendant le pas des

Il ramena un gros petit homme derrière lequel marchaient deux mariniers portant une lourde valise et quelques ballots. Ses paquets déposés dans la salle, le petit homme prit lui-même sa valise et la garda près de lui, en s'asseyant sans cérémonie à table devant les deux sous-aides.

– Allez coucher à votre bateau, dit-il aux mariniers, puisque l'auberge est pleine. Tout bien considéré, cela vaudra mieux. 220

– Monsieur, dit l'hôte au nouvel arrivé, voilà tout ce qui me reste de provisions.

Et il montrait le souper servi aux deux Français.

– Je n'ai pas une croûte de pain, pas un os.

– Et de la choucroute ?

– Pas de quoi mettre dans le dé de ma femme ! Comme j'ai eu l'honneur de vous le dire, vous ne pouvez avoir d'autre lit que la chaise sur laquelle vous êtes, et d'autre chambre que cette salle. 230

À ces mots, le petit homme jeta sur l'hôte, sur la salle et sur les deux Français, un regard où la prudence et l'effroi se peignirent également.

– Ici je dois vous faire observer, dit monsieur Hermann en s'interrompant, que nous n'avons jamais su ni le véritable nom ni l'histoire de cet inconnu ; seulement, ses papiers ont appris qu'il venait d'Aix-la-Chapelle ; il avait pris le nom de Walhenfer, et possédait aux environs de Neuwied une manufacture d'épingles assez considérable. 240 Comme tous les fabricants de ce pays, il portait une redingote de drap commun, une culotte et un gilet en velours vert foncé, des bottes et une large ceinture de cuir. Sa figure était toute ronde, ses manières franches et cordiales ; mais pendant cette soirée il lui fut très difficile de déguiser

entièrement des appréhensions secrètes ou peut-être de cruels soucis. L'opinion de l'aubergiste a toujours été que ce négociant allemand fuyait son pays. Plus tard, j'ai su que sa fabrique avait été brûlée par un de ces hasards mal-
250 heureusement si fréquents en temps de guerre. Malgré son expression généralement soucieuse, sa physionomie annonçait une grande bonhomie. Il avait de beaux traits, et surtout un large cou dont la blancheur était si bien relevée par une cravate noire, que Wilhem le montra par raillerie à Prosper…

Ici, monsieur Taillefer but un verre d'eau.

– Prosper offrit avec courtoisie au négociant de partager leur souper, et Walhenfer accepta sans façon, comme un homme qui se sentait en mesure de reconnaître cette
260 politesse ; il coucha sa valise à terre, mit ses pieds dessus, ôta son chapeau, s'attabla, se débarrassa de ses gants et de deux pistolets qu'il avait à sa ceinture. L'hôte ayant promptement donné un couvert, les trois convives commencèrent à satisfaire assez silencieusement leur appétit. L'atmosphère de la salle était si chaude et les mouches si nombreuses, que Prosper pria l'hôte d'ouvrir la croisée qui donnait sur la porte, afin de renouveler l'air. Cette fenêtre était barricadée par une barre de fer dont les deux bouts entraient dans des trous pratiqués aux deux coins de
270 l'embrasure. Pour plus de sécurité, deux écrous, attachés à chacun des volets, recevaient deux vis. Par hasard, Prosper examina la manière dont s'y prenait l'hôte pour ouvrir la fenêtre.

– Mais, puisque je vous parle des localités, nous dit monsieur Hermann, je dois vous dépeindre les dispositions intérieures de l'auberge ; car, de la connaissance exacte des lieux, dépend l'intérêt de celle histoire. La salle où se trouvaient les trois personnages dont je vous parle avait deux portes de sortie. L'une donnait sur le chemin d'Andernach qui longe le Rhin. Là, devant l'auberge, se trouvait naturellement un petit débarcadère où le bateau, loué par le négociant pour son voyage, était amarré. L'autre porte avait sa sortie sur la cour de l'auberge. Cette cour était entourée de murs très élevés, et remplie, pour le moment, de bestiaux et de chevaux, les écuries étant pleines de monde. La grande porte venait d'être si soigneusement barricadée, que, pour plus de promptitude, l'hôte avait fait entrer le négociant et les mariniers par la porte de la salle qui donnait sur la rue. Après avoir ouvert la fenêtre, selon le désir de Prosper Magnan, il se mit à fermer cette porte, glissa les barres dans leurs trous, et vissa les écrous. La chambre de l'hôte, où devaient coucher les deux sous-aides, était contiguë à la salle commune, et se trouvait séparée par un mur assez léger de la cuisine, où l'hôtesse et son mari devaient probablement passer la nuit. La servante venait de sortir, et d'aller chercher son gîte dans quelque crèche, dans le coin d'un grenier, ou partout ailleurs. Il est facile de comprendre que la salle commune, la chambre de l'hôte et la cuisine, étaient en quelque sorte isolées du reste de l'auberge. Il y avait dans la cour deux gros chiens, dont les aboiements graves annonçaient des gardiens vigilants et très irritables.

280

290

300

– Quel silence et quelle belle nuit ! dit Wilhem en regardant le ciel, lorsque l'hôte eut fini de fermer la porte.

Alors le clapotis des flots était le seul bruit qui se fit entendre.

– Messieurs, dit le négociant aux deux Français, permettez-moi de vous offrir quelques bouteilles de vin pour arroser votre carpe. Nous nous délasserons de la fatigue 310 de la journée en buvant. À votre air et à l'état de vos vêtements, je vois que, comme moi, vous avez bien fait du chemin aujourd'hui.

Les deux amis acceptèrent, et l'hôte sortit par la porte de la cuisine pour aller à sa cave, sans doute située sous cette partie du bâtiment. Lorsque cinq vénérables bouteilles, apportées par l'aubergiste, furent sur la table, sa femme achevait de servir le repas. Elle donna à la salle et aux mets son coup d'œil de maîtresse de maison ; puis, certaine d'avoir prévenu toutes les exigences des voyageurs, 320 elle rentra dans la cuisine. Les quatre convives, car l'hôte fut invité à boire, ne l'entendirent pas se coucher ; mais, plus tard, pendant les intervalles de silence qui séparèrent les causeries des buveurs, quelques ronflements très accentués, rendus encore plus sonores par les planches creuses de la soupente où elle s'était nichée, firent sourire les amis, et surtout l'hôte. Vers minuit, lorsqu'il n'y eut plus sur la table que des biscuits, du fromage, des fruits secs et du bon vin, les convives, principalement les deux jeunes Français, devinrent communicatifs. Ils parlèrent de leur pays, de 330 leurs études, de la guerre. Enfin, la conversation s'anima. Prosper Magnan fit venir quelques larmes dans les yeux du négociant fugitif, quand, avec cette franchise picarde et la naïveté d'une nature bonne et tendre, il supposa ce que devait faire sa mère au moment où il se trouvait, lui, sur les bords du Rhin.

– Je la vois, disait-il, lisant sa prière du soir avant de se coucher ! Elle ne m'oublie certes pas, et doit se demander :

Où est-il, mon pauvre Prosper ? Mais si elle a gagné au jeu quelques sous à sa voisine, – à ta mère, peut-être, ajouta-t-il en poussant le coude de Wilhem, elle va les mettre dans le grand pot de terre rouge où elle amasse la somme nécessaire à l'acquisition des trente arpents[1] enclavés dans son petit domaine de Lescheville. Ces trente arpents valent bien environ soixante mille francs. Voilà de bonnes prairies. Ah ! si je les avais un jour, je vivrais toute ma vie à Lescheville, sans ambition ! Combien de fois mon père a-t-il désiré ces trente arpents et le joli ruisseau qui serpente dans ces prés-là ! Enfin, il est mort sans pouvoir les acheter. J'y ai bien souvent joué !

– Monsieur Walhenfer, n'avez-vous pas aussi votre *hoc erat in votis*[2] ? demanda Wilhem.

– Oui, monsieur, oui ! mais il était tout venu, et, maintenant…

Le bonhomme garda le silence, sans achever sa phrase.

– Moi, dit l'hôte dont le visage s'était légèrement empourpré, j'ai, l'année dernière, acheté un clos que je désirais avoir depuis dix ans.

Ils causèrent ainsi en gens dont la langue était déliée par le vin, et prirent les uns pour les autres cette amitié passagère de laquelle nous sommes peu avares en voyage, en sorte qu'au moment où ils allèrent se coucher, Wilhem offrit son lit au négociant.

– Vous pouvez d'autant mieux l'accepter, lui dit-il, que je puis coucher avec Prosper. Ce ne sera, certes, ni la première ni la dernière fois. Vous êtes notre doyen, nous devons honorer la vieillesse !

– Bah ! dit l'hôte, le lit de ma femme a plusieurs matelas, vous en mettrez un par terre.

1. Un peu plus d'un hectare.
2. Citation du poète latin Horace : « Ceci était l'objet de mes vœux ».

L'Auberge rouge, film de Jean Epstein, 1932.

Et il alla fermer la croisée, en faisant le bruit que comportait cette prudente opération.

– J'accepte, dit le négociant. J'avoue, ajouta-t-il en baissant la voix et regardant les deux amis, que je le désirais. Mes bateliers me semblent suspects. Pour cette nuit, je ne suis pas fâché d'être en compagnie de deux braves et bons jeunes gens, de deux militaires français ! J'ai cent mille francs en or et en diamants dans ma valise !

L'affectueuse réserve avec laquelle cette imprudente confidence fut reçue par les deux jeunes gens rassura le bon Allemand. L'hôte aida ses voyageurs à défaire un des lits. Puis, quand tout fut arrangé pour le mieux, il leur souhaita le bonsoir et alla se coucher. Le négociant et les deux sous-aides plaisantèrent sur la nature de leurs oreillers. Prosper mettait sa trousse d'instruments et celle de Wilhem sous son matelas, afin de l'exhausser et de remplacer le traversin qui lui manquait, au moment où, par un excès de prudence, Walhenfer plaçait sa valise sous son chevet.

– Nous dormirons tous deux sur notre fortune : vous, sur votre or ; moi sur ma trousse ! Reste à savoir si mes instruments me vaudront autant d'or que vous en avez acquis.

– Vous pouvez l'espérer, dit le négociant. Le travail et la probité viennent à bout de tout, mais ayez de la patience.

Bientôt Walhenfer et Wilhem s'endormirent. Soit que son lit fût trop dur, soit que son extrême fatigue fût une cause d'insomnie, soit par une fatale disposition d'âme, Prosper Magnan resta éveillé. Ses pensées prirent insensiblement une mauvaise pente. Il songea très exclusivement aux cent mille francs sur lesquels dormait le négociant. Pour lui, cent mille francs étaient une immense fortune tout venue. Il commença par les employer de mille

400 manières différentes, en faisant des châteaux en Espagne[1], comme nous en faisons tous avec tant de bonheur pendant le moment qui précède notre sommeil, à cette heure où les images naissent confuses dans notre entendement, et où souvent, par le silence de la nuit, la pensée acquiert une puissance magique. Il comblait les vœux de sa mère, il achetait les trente arpents de prairie, il épousait une demoiselle de Beauvais à laquelle la disproportion de leurs fortunes lui défendait d'aspirer en ce moment. Il s'arrangeait avec cette somme toute une vie de délices, et se 410 voyait heureux, père de famille, riche, considéré dans sa province, et peut-être maire de Beauvais. Sa tête picarde s'enflammant, il chercha les moyens de changer ses fictions en réalités. Il mit une chaleur extraordinaire à combiner un crime en théorie. Tout en rêvant la mort du négociant, il voyait distinctement l'or et les diamants. Il en avait les yeux éblouis. Son cœur palpitait. La délibération[2] était déjà sans doute un crime. Fasciné par cette masse d'or, il s'enivra moralement par des raisonnements assassins. Il se demanda si ce pauvre Allemand avait bien besoin de 420 vivre, et supposa qu'il n'avait jamais existé. Bref, il conçut le crime de manière à en assurer l'impunité. L'autre rive du Rhin était occupée par les Autrichiens ; il y avait au bas des fenêtres une barque et des bateliers ; il pouvait couper le cou de cet homme, le jeter dans le Rhin, se sauver par la croisée avec la valise, offrir de l'or aux mariniers, et passer en Autriche. Il alla jusqu'à calculer le degré d'adresse qu'il avait su acquérir en se servant de ses instruments de chirurgie, afin de trancher la tête de sa victime de manière à ce qu'elle ne poussât pas un seul cri…

1. Échafaudant des projets chimériques.
2. Réflexion.

Là monsieur Taillefer s'essuya le front et but encore un peu d'eau. 430

Prosper se leva lentement et sans faire aucun bruit. Certain de n'avoir réveillé personne, il s'habilla, se rendit dans la salle commune ; puis, avec cette fatale intelligence que l'homme trouve soudainement en lui, avec cette puissance de tact et de volonté qui ne manque jamais ni aux prisonniers ni aux criminels dans l'accomplissement de leurs projets, il dévissa les barres de fer, les sortit de leurs trous sans faire le plus léger bruit, les plaça près du mur, et ouvrit les volets en pesant sur les gonds afin d'en assourdir les grincements. La lune ayant jeté sa pâle clarté sur cette scène, lui permit de voir faiblement les objets dans la chambre où dormaient Wilhem et Walhenfer. Là, il m'a dit s'être un moment arrêté. Les palpitations de son cœur étaient si fortes, si profondes, si sonores, qu'il en avait été comme épouvanté. Puis il craignait de ne pouvoir agir avec sang-froid ; ses mains tremblaient, et la plante de ses pieds lui paraissait appuyée sur des charbons ardents. Mais l'exécution de son dessein était accompagnée de tant de bonheur, qu'il vit une espèce de prédestination dans cette faveur du sort. Il ouvrit la fenêtre, revint dans la chambre, prit sa trousse, y chercha l'instrument le plus convenable pour achever son crime. 440 450

– Quand j'arrivai près du lit, me dit-il, je me recommandai machinalement à Dieu.

Au moment où il levait le bras en rassemblant toute sa force, il entendit en lui comme une voix, et crut apercevoir une lumière. Il jeta l'instrument sur son lit, se sauva dans l'autre pièce, et vint se placer à la fenêtre. Là, il conçut la plus profonde horreur pour lui-même ; et sentant 460 néanmoins sa vertu faible, craignant encore de succomber à la fascination à laquelle il était en proie, il sauta vivement sur le chemin et se promena le long du Rhin, en faisant pour ainsi dire sentinelle devant l'auberge. Souvent il atteignait Andernach dans sa promenade précipitée ; souvent aussi ses pas le conduisaient au versant par lequel il était descendu pour arriver à l'auberge ; mais le silence de la nuit était si profond, il se fiait si bien sur les chiens de garde, que, parfois, il perdit de vue la fenêtre qu'il avait laissée ouverte. Son but était de se lasser et d'appeler le sommeil. Cependant, en marchant ainsi sous un ciel sans nuages, en en admirant les belles étoiles, frappé peut-être aussi par l'air pur de la nuit et par le bruissement mélancolique des flots, il tomba dans une rêverie qui le ramena par degrés à de saines idées de morale. La raison finit par dissiper complètement sa frénésie momentanée. Les enseignements de son éducation, les préceptes religieux, et surtout, m'a-t-il dit, les images de la vie modeste qu'il avait jusqu'alors menée sous le toit paternel, triomphèrent de ses mauvaises pensées. Quand il revint, après une longue méditation au charme de laquelle il s'était abandonné sur le bord du Rhin, en restant accoudé sur une grosse pierre, il aurait pu, m'a-t-il dit, non pas dormir, mais veiller près d'un milliard en or. Au moment où sa probité se releva fière et forte de ce combat, il se mit à genoux dans un sentiment d'extase et de bonheur, remercia Dieu, se trouva heureux, léger, content, comme au jour de sa première communion, où il s'était cru digne des anges, parce qu'il avait passé la journée sans pécher ni en paroles, ni en actions, ni en pensée. Il revint à l'auberge, ferma la fenêtre sans craindre de faire du bruit, et se mit au lit sur-le-champ. Sa lassitude morale et physique le livra sans défense au sommeil. Peu de temps après avoir posé sa tête sur son matelas, il tomba dans cette somnolence première et fantastique qui précède toujours un profond sommeil. Alors les sens s'engourdissent, et la vie s'abolit graduellement ; les pensées sont incomplètes, et les derniers tressaillements de nos sens simulent une sorte de rêverie.

– Comme l'air est lourd, se dit Prosper. Il me semble que je respire une vapeur humide. 500

Il s'expliqua vaguement cet effet de l'atmosphère par la différence qui devait exister entre la température de la chambre et l'air pur de la campagne. Mais il entendit bientôt un bruit périodique assez semblable à celui que font les gouttes d'eau d'une fontaine en tombant du robinet. Obéissant à une terreur panique, il voulut se lever et appeler l'hôte, réveiller le négociant ou Wilhem ; mais il se souvint alors, pour son malheur, de l'horloge de bois ; et croyant reconnaître le mouvement du balancier, il s'endormit dans cette indistincte et confuse perception. 510

– Voulez-vous de l'eau, monsieur Taillefer ? dit le maître de la maison, en voyant le banquier prendre machinalement la carafe.

Elle était vide.

Monsieur Hermann continua son récit, après la légère pause occasionnée par l'observation du banquier.

– Le lendemain matin, dit-il, Prosper Magnan fut réveillé par un grand bruit. Il lui semblait avoir entendu des cris perçants, et il ressentait ce violent tressaillement de nerfs que nous subissons lorsque nous achevons, au réveil, 520 une sensation pénible commencée pendant notre sommeil. Il s'accomplit en nous un fait physiologique, un sursaut,

L'horloge de bois

Frédéric Taillefer a profité de la situation pour décapiter le négociant et s'enfuir par la fenêtre ouverte en emportant la valise. À son retour, Prosper, en se couchant, entend le bruit que fait le sang s'écoulant du corps, mais il le confond avec le mouvement du balancier de l'horloge. Ne se doutant de rien, il referme alors les volets de l'intérieur et se condamne aux yeux des témoins qui le découvriront le lendemain. ■

pour me servir de l'expression vulgaire, qui n'a pas encore été suffisamment observé, quoiqu'il contienne des phénomènes curieux pour la science. Cette terrible angoisse, produite peut-être par une réunion trop subite de nos deux natures, presque toujours séparées pendant le sommeil, est ordinairement rapide ; mais elle persista chez le pauvre sous-aide, s'accrut même tout à coup, et lui causa la plus
530 affreuse horripilation[1], quand il aperçut une mare de sang entre son matelas et le lit de Walhenfer. La tête du pauvre Allemand gisait à terre, le corps était resté dans le lit. Tout le sang avait jailli par le cou. En voyant les yeux encore ouverts et fixes, en voyant le sang qui avait taché ses draps et même ses mains, en reconnaissant son instrument de chirurgie sur le lit, Prosper Magnan s'évanouit, et tomba dans le sang de Walhenfer.

– C'était déjà, m'a-t-il dit, une punition de mes pensées.

540 Quand il reprit connaissance, il se trouva dans la salle commune. Il était assis sur une chaise, environné de soldats français et devant une foule attentive et curieuse. Il regarda stupidement un officier républicain occupé à recueillir les dépositions de quelques témoins, et à rédiger sans doute un procès-verbal. Il reconnut l'hôte, sa femme, les deux mariniers et la servante de l'auberge. L'instrument de chirurgie dont s'était servi l'assassin…

Ici monsieur Taillefer toussa, tira son mouchoir de poche pour se moucher, et s'essuya le front. Ces mouve-
550 ments assez naturels ne furent remarqués que par moi ; tous les convives avaient les yeux attachés sur monsieur Hermann, et l'écoutaient avec une sorte d'avidité. Le fournisseur appuya son coude sur la table, mit sa tête dans sa

1. Synonyme savant de « chair de poule ».

main droite, et regarda fixement Hermann. Dès lors il ne laissa plus échapper aucune marque d'émotion ni d'intérêt ; mais sa physionomie resta pensive et terreuse, comme au moment où il avait joué avec le bouchon de la carafe.

– L'instrument de chirurgie dont s'était servi l'assassin se trouvait sur la table avec la trousse, le portefeuille et les papiers de Prosper. Les regards de l'assemblée se dirigeaient alternativement sur ces pièces de conviction et sur le jeune homme, qui paraissait mourant, et dont les yeux éteints semblaient ne rien voir. La rumeur confuse qui se faisait entendre au dehors accusait la présence de la foule attirée devant l'auberge par la nouvelle du crime, et peut-être aussi par le désir de connaître l'assassin. Le pas des sentinelles placées sous les fenêtres de la salle, le bruit de leurs fusils dominaient le murmure des conversations populaires ; mais l'auberge était fermée, la cour était vide et silencieuse. Incapable de soutenir le regard de l'officier qui verbalisait, Prosper Magnan se sentit la main pressée par un homme, et leva les yeux pour voir quel était son protecteur parmi cette foule ennemie. Il reconnut, à l'uniforme, le chirurgien-major de la demi-brigade cantonnée à Andernach. Le regard de cet homme était si perçant, si sévère, que le pauvre jeune homme en frissonna, et laissa aller sa tête sur le dos de la chaise. Un soldat lui fit respirer du vinaigre, et il reprit aussitôt connaissance. Cependant, ses yeux hagards parurent tellement privés de vie et d'intelligence, que le chirurgien dit à l'officier, après avoir tâté le pouls de Prosper :

– Capitaine, il est impossible d'interroger cet homme-là dans ce moment-ci.

– Eh ! bien, emmenez-le, répondit le capitaine en interrompant le chirurgien et en s'adressant à un caporal qui se trouvait derrière le sous-aide.

– Sacré lâche, lui dit à voix basse le soldat, tâche au moins de marcher ferme devant ces mâtins[1] d'Allemands, afin de sauver l'honneur de la République.

590 Cette interpellation réveilla Prosper Magnan, qui se leva, fit quelques pas ; mais lorsque la porte s'ouvrit, qu'il se sentit frappé par l'air extérieur, et qu'il vit entrer la foule, ses forces l'abandonnèrent, ses genoux fléchirent, il chancela.

– Ce tonnerre de carabin-là[2] mérite deux fois la mort ! Marche donc ! dirent les deux soldats qui lui prêtaient le secours de leurs bras afin de le soutenir.

– Oh ! le lâche ! le lâche ! C'est lui ! c'est lui ! le voilà ! le voilà !

600 Ces mots lui semblaient dits par une seule voix, la voix tumultueuse de la foule qui l'accompagnait en l'injuriant, et grossissait à chaque pas. Pendant le trajet de l'auberge à la prison, le tapage que le peuple et les soldats faisaient en marchant, le murmure des différents colloques, la vue du ciel et la fraîcheur de l'air, l'aspect d'Andernach et le frissonnement des eaux du Rhin, ces impressions arrivaient à l'âme du sous-aide, vagues, confuses, ternes comme toutes les sensations qu'il avait éprouvées depuis son réveil. Par moments il croyait, m'a-t-il dit, ne plus exister.

610 – J'étais alors en prison, dit monsieur Hermann en s'interrompant. Enthousiaste comme nous le sommes tous à vingt ans, j'avais voulu défendre mon pays, et commandais une compagnie franche[3] que j'avais organisée aux environs d'Andernach. Quelques jours auparavant j'étais

1. Hommes rudes, grossiers.
2. Familièrement, étudiant en médecine.
3. Groupe de résistants, en dehors des armées régulières.

tombé pendant la nuit au milieu d'un détachement français composé de huit cents hommes. Nous étions tout au plus deux cents. Mes espions m'avaient vendu. Je fus jeté dans la prison d'Andernach. Il s'agissait alors de me fusiller, pour faire un exemple qui intimidât le pays. Les Français parlaient aussi de représailles, mais le meurtre 620 dont les républicains voulaient tirer vengeance sur moi ne s'était pas commis dans l'Électorat. Mon père avait obtenu un sursis de trois jours, afin de pouvoir aller demander ma grâce au général Augereau, qui la lui accorda. Je vis donc Prosper Magnan au moment où il entra dans la prison d'Andernach, et il m'inspira la plus profonde pitié. Quoiqu'il fût pâle, défait, taché de sang, sa physionomie avait un caractère de candeur et d'innocence qui me frappa vivement. Pour moi, l'Allemagne respirait dans ses longs cheveux blonds, dans ses yeux bleus. Véritable image de 630 mon pays défaillant, il m'apparut comme une victime et non comme un meurtrier. Au moment où il passa sous ma fenêtre, il jeta, je ne sais où, le sourire amer et mélancolique d'un aliéné qui retrouve une fugitive lueur de raison. Ce sourire n'était certes pas celui d'un assassin. Quand je vis le geôlier, je le questionnai sur son nouveau prisonnier.

– Il n'a pas parlé depuis qu'il est dans son cachot. Il s'est assis, a mis sa tête entre ses mains, et dort ou réfléchit à son affaire. À entendre les Français, il aura son compte demain matin, et sera fusillé dans les vingt-quatre heures. 640

Je demeurai le soir sous la fenêtre du prisonnier, pendant le court instant qui m'était accordé pour faire une promenade dans la cour de la prison. Nous causâmes ensemble, et il me raconta naïvement son aventure, en répondant avec assez de justesse à mes différentes questions. Après

Le somnambulisme

Dans un récit écrit à la même époque, *Maître Cornélius*, Balzac construit toute une intrigue « policière » sur un cas de somnambulisme, dans lequel un avare s'auto-punit de son avarice. Prosper Magnan évoque, sans conviction, cette hypothèse pour expliquer son crime éventuel, mais l'idée de l'auto-punition subsiste. ■

cette première conversation, je ne doutai plus de son innocence. Je demandai, j'obtins la faveur de rester quelques heures près de lui. Je le vis donc à plusieurs reprises, et le pauvre enfant m'ini tia sans détour à toutes ses pensées. Il 650 se croyait à la fois innocent et coupable. Se souvenant de l'horrible tentation à laquelle il avait eu la force de résister, il craignait d'avoir accompli, pendant son sommeil et dans un accès de somnambulisme, le crime qu'il rêvait, éveillé.

– Mais votre compagnon ? lui dis-je.

– Oh ! s'écria-t-il avec feu, Wilhem est incapable…

Il n'acheva même pas. À cette parole chaleureuse, pleine de jeunesse et de vertu, je lui serrai la main.

– À son réveil, reprit-il, il aura sans doute été épouvanté, il aura perdu la tête, il se sera sauvé.

660 – Sans vous éveiller, lui dis-je. Mais alors votre défense sera facile, car la valise de Walhenfer n'aura pas été volée.

Tout à coup il fondit en larmes.

– Oh ! oui, je suis innocent, s'écria-t-il. Je n'ai pas tué. Je me souviens de mes songes. Je jouais aux barres[1] avec mes camarades de collège. Je n'ai pas dû couper la tête de ce négociant, en rêvant que je courais.

Puis, malgré les lueurs d'espoir qui parfois lui rendirent un peu de calme, il se sentait toujours écrasé par un remords. Il avait bien certainement levé le bras pour 670 trancher la tête du négociant. Il se faisait justice, et ne se trouvait pas le cœur pur, après avoir commis le crime dans sa pensée.

– Et cependant ! je suis bon ! s'écriait-il. Ô ma pauvre mère ! Peut-être en ce moment joue-t-elle gaiement à l'impériale[2] avec ses voisines dans son petit salon de tapisserie. Si elle savait que j'ai seulement levé la main pour

1. Jeu de course entre enfants.
2. Jeu de cartes.

assassiner un homme… Oh ! elle mourrait ! Et je suis en prison, accusé d'avoir commis un crime. Si je n'ai pas tué cet homme, je tuerai certainement ma mère !

À ces mots il ne pleura pas ; mais, animé de cette fureur 680 courte et vive assez familière aux Picards, il s'élança vers la muraille, et, si je ne l'avais retenu, il s'y serait brisé la tête.

– Attendez votre jugement, lui dis-je. Vous serez acquitté, vous êtes innocent. Et votre mère…

– Ma mère, s'écria-t-il avec fureur, elle apprendra mon accusation avant tout. Dans les petites villes, cela se fait ainsi, la pauvre femme en mourra de chagrin. D'ailleurs, je ne suis pas innocent. Voulez-vous savoir toute la vérité ? Je sens que j'ai perdu la virginité de ma conscience.

Après ce terrible mot, il s'assit, se croisa les bras sur la 690 poitrine, inclina la tête, et regarda la terre d'un air sombre. En ce moment, le porte-clefs[3] vint me prier de rentrer dans ma chambre ; mais, fâché d'abandonner mon compagnon en un instant où son découragement me paraissait si profond, je le serrai dans mes bras avec amitié.

– Prenez patience, lui dis-je, tout ira bien, peut-être. Si la voix d'un honnête homme peut faire taire vos doutes, apprenez que je vous estime et vous aime. Acceptez mon amitié, et dormez sur mon cœur, si vous n'êtes pas en paix avec le vôtre. 700

Le lendemain, un caporal et quatre fusiliers vinrent chercher le sous-aide vers neuf heures. En entendant le bruit que firent les soldats, je me mis à ma fenêtre. Lorsque le jeune homme traversa la cour, il jeta les yeux sur moi. Jamais je n'oublierai ce regard plein de pensées, de pressentiments, de résignation, et de je ne sais quelle grâce triste et mélancolique. Ce fut une espèce de testament

3. Geôlier.

silencieux et intelligible par lequel un ami léguait sa vie perdue à son dernier ami. La nuit avait sans doute été bien 710 dure, bien solitaire pour lui ; mais aussi peut-être la pâleur empreinte sur son visage accusait-elle un stoïcisme[1] puisé dans une nouvelle estime de lui-même. Peut-être s'était-il purifié par un remords, et croyait-il laver sa faute dans sa douleur et dans sa honte. Il marchait d'un pas ferme et, dès le matin, il avait fait disparaître les taches de sang dont il s'était involontairement souillé.

– Mes mains y ont fatalement trempé pendant que je dormais, car mon sommeil est toujours très agité, m'avait-il dit la veille, avec un horrible accent de désespoir.

720 J'appris qu'il allait comparaître devant un conseil de guerre. La division devait, le surlendemain, se porter en avant, et le chef de demi-brigade ne voulait pas quitter Andernach sans faire justice du crime sur les lieux mêmes où il avait été commis… Je restai dans une mortelle angoisse pendant le temps que dura ce conseil. Enfin, vers midi, Prosper Magnan fut ramené en prison. Je faisais en ce moment ma promenade accoutumée ; il m'aperçut, et vint se jeter dans mes bras.

– Perdu, me dit-il. Je suis perdu sans espoir ! Ici, pour 730 tout le monde, je serai donc un assassin.

Il releva la tête avec fierté.

– Cette injustice m'a rendu tout entier à mon innocence. Ma vie aurait toujours été troublée, ma mort sera sans reproche. Mais, y a-t-il un avenir ?

Tout le dix-huitième siècle était dans cette interrogation soudaine. Il resta pensif.

1. Courage, héroïsme.

– Enfin, lui dis-je, comment avez-vous répondu ? Que vous a-t-on demandé ? N'avez-vous pas dit naïvement le fait comme vous me l'avez raconté !

Il me regarda fixement pendant un moment ; puis, après cette pause effrayante, il me répondit avec une fiévreuse vivacité de paroles : 740

– Ils m'ont demandé d'abord : « Êtes-vous sorti de l'auberge pendant la nuit ? » J'ai dit : – Oui. « Par où ? » J'ai rougi, et j'ai répondu : – Par la fenêtre. « Vous l'aviez donc ouverte ? » – Oui ! ai-je dit. « Vous y avez mis bien de la précaution. L'aubergiste n'a rien entendu ! » Je suis resté stupéfait. Les mariniers ont déclaré m'avoir vu me promenant, allant tantôt à Andernach, tantôt vers la forêt. – J'ai fait, disent-ils, plusieurs voyages. J'ai enterré l'or et les diamants. Enfin, la valise ne s'est pas retrouvée ! Puis j'étais toujours en guerre avec mes remords. Quand je voulais parler : « Tu as voulu commettre le crime ! » me criait une voix impitoyable. Tout était contre moi, même moi !… Ils m'ont questionné sur mon camarade, et je l'ai complètement défendu. Alors ils m'ont dit : « Nous devons trouver un coupable entre vous, votre camarade, l'aubergiste et sa femme. Ce matin, toutes les fenêtres et les portes se sont trouvées fermées ! » – À cette observation, reprit-il, je suis resté sans voix, sans force, sans âme. Plus sûr de mon ami que de moi-même, je ne pouvais l'accuser. J'ai compris que nous étions regardés tous deux comme également complices de l'assassinat, et que je passais pour le plus maladroit ! J'ai voulu expliquer le crime par le somnambulisme, et justifier mon ami ; alors j'ai divagué. Je suis perdu. J'ai lu ma condamnation dans les yeux de mes juges. Ils ont laissé échapper des sourires d'incrédulité. Tout est dit. Plus 750 760 d'incertitude. Demain je serai fusillé. – Je ne pense plus à moi, reprit-il, mais à ma pauvre mère !

770 Il s'arrêta, regarda le ciel, et ne versa pas de larmes. Ses yeux étaient secs et fortement convulsés.

– Frédéric !

– Ah ! l'autre se nommait Frédéric, Frédéric ! Oui, c'est bien là le nom ! s'écria monsieur Hermann d'un air de triomphe.

Ma voisine me poussa le pied, et me fit un signe en me montrant monsieur Taillefer. L'ancien fournisseur avait négligemment laissé tomber sa main sur ses yeux ; mais, entre les intervalles de ses doigts, nous crûmes voir une 780 flamme sombre dans son regard.

– Hein ? me dit-elle à l'oreille. S'il se nommait Frédéric.

Je répondis en la guignant[1] de l'œil comme pour lui dire : « Silence ! »

Hermann reprit ainsi :

– Frédéric, s'écria le sous-aide, Frédéric m'a lâchement abandonné. Il aura eu peur. Peut-être se sera-t-il caché dans l'auberge, car nos deux chevaux étaient encore le matin dans la cour.

– Quel incompréhensible mystère, ajouta-t-il après un 790 moment de silence. Le somnambulisme, le somnambulisme ! Je n'en ai eu qu'un seul accès dans ma vie, et encore à l'âge de six ans.

– M'en irai-je d'ici, reprit-il, frappant du pied sur la terre, en emportant tout ce qu'il y a d'amitié dans le monde ? Mourrai-je donc deux fois en doutant d'une fraternité commencée à l'âge de cinq ans, et continuée au collège, aux écoles ! Où est Frédéric ?

1. Regardant à la dérobée.

Il pleura. Nous tenons donc plus à un sentiment qu'à la vie.

– Rentrons, me dit-il, je préfère être dans mon cachot. Je ne voudrais pas qu'on me vit pleurant. J'irai courageusement à la mort, mais je ne sais pas faire de l'héroïsme à contretemps, et j'avoue que je regrette ma jeune et belle vie. Pendant cette nuit je n'ai pas dormi ; je me suis rappelé les scènes de mon enfance, et me suis vu courant dans ces prairies dont le souvenir a peut-être causé ma perte.

– J'avais de l'avenir, me dit-il en s'interrompant. Douze hommes ; un sous-lieutenant qui criera : – Portez armes, en joue, feu ! un roulement de tambours ; et l'infamie ! voilà mon avenir maintenant. Oh ! il y a un Dieu, ou tout cela serait par trop niais.

Alors il me prit et me serra dans ses bras en m'étreignant avec force.

– Ah ! vous êtes le dernier homme avec lequel j'aurai pu épancher mon âme. Vous serez libre, vous ! vous verrez votre mère ! Je ne sais si vous êtes riche ou pauvre, mais qu'importe ! vous êtes le monde entier pour moi. Ils ne se battront pas toujours, ceux-ci. Eh ! bien, quand ils seront en paix, allez à Beauvais. Si ma mère survit à la fatale nouvelle de ma mort, vous l'y trouverez. Dites-lui ces consolantes paroles :

– Il était innocent !

– Elle vous croira, reprit-il. Je vais lui écrire ; mais vous lui porterez mon dernier regard, vous lui direz que vous êtes le dernier homme que j'aurai embrassé. Ah ! combien elle vous aimera, la pauvre femme ! vous qui aurez été mon dernier ami.

– Ici, dit-il après un moment de silence pendant lequel il resta comme accablé sous le poids de ses souvenirs, chefs et soldats me sont inconnus, et je leur fais horreur à tous. Sans vous, mon innocence serait un secret entre le ciel et moi.

Je lui jurai d'accomplir saintement ses dernières volontés. Mes paroles, mon effusion de cœur le touchèrent. Peu de temps après, les soldats revinrent le chercher et le ramenèrent au conseil de guerre. Il était condamné. J'ignore les formalités qui devaient suivre ou accompagner ce premier jugement, je ne sais pas si le jeune chirurgien défendit sa vie dans toutes les règles ; mais il s'attendait à marcher au supplice le lendemain matin, et passa la nuit à écrire à sa mère.

– Nous serons libres tous deux, me dit-il en souriant, quand je l'allai voir le lendemain ; j'ai appris que le général a signé votre grâce.

Je restai silencieux, et le regardai pour bien graver ses traits dans ma mémoire. Alors il prit une expression de dégoût, et me dit : – J'ai été tristement lâche ! J'ai, pendant toute la nuit, demandé ma grâce à ces murailles. Et il me montrait les murs de son cachot.

– Oui, oui, reprit-il, j'ai hurlé de désespoir, je me suis révolté, j'ai subi la plus terrible des agonies morales.

– J'étais seul ! Maintenant, je pense à ce que vont dire les autres… Le courage est un costume à prendre. Je dois aller décemment à la mort… Aussi…

Les deux justices

– OH ! N'ACHEVEZ PAS ! s'écria la jeune personne qui avait demandé cette histoire, et qui interrompit alors brusquement le Nurembergeois. Je veux demeurer dans l'incertitude et croire qu'il a été sauvé. Si j'apprenais aujourd'hui qu'il a été fusillé, je ne dormirais pas cette nuit. Demain vous me direz le reste.

Nous nous levâmes de table. En acceptant le bras de monsieur Hermann, ma voisine lui dit : – Il a été fusillé, n'est-ce pas ?

– Oui. Je fus témoin de l'exécution. 10

– Comment, monsieur, dit-elle, vous avez pu…

– Il l'avait désiré, madame. Il y a quelque chose de bien affreux à suivre le convoi d'un homme vivant, d'un homme que l'on aime, d'un innocent ! Ce pauvre jeune homme ne cessa pas de me regarder. Il semblait ne plus vivre qu'en moi ! Il voulait, disait-il, que je reportasse son dernier soupir à sa mère.

– Eh ! bien, l'avez-vous vue ?

– À la paix d'Amiens[1], je vins en France pour apporter à la mère cette belle parole : – Il était innocent. J'avais 20 religieusement entrepris ce pèlerinage. Mais madame Magnan était morte de consomption[2]. Ce ne fut pas sans une émotion profonde que je brûlai la lettre dont j'étais porteur. Vous vous moquerez peut-être de mon exaltation germanique, mais je vis un drame de mélancolie sublime dans le secret éternel qui allait ensevelir ces adieux jetés entre deux tombes, ignorés de toute la création, comme un cri poussé au milieu du désert par le voyageur que surprend un lion.

1. Voir encart, p. 18.
2. Amaigrissement, perte de forces prolongée.

30 – Et si l'on vous mettait face à face avec un des hommes qui sont dans ce salon, en vous disant : – Voilà le meurtrier ! Ne serait-ce pas un autre drame ? lui demandai-je en l'interrompant, et que feriez-vous ?

Monsieur Hermann alla prendre son chapeau et sortit.

– Vous agissez en jeune homme, et bien légèrement, me dit ma voisine. Regardez Taillefer ! tenez ! assis dans la bergère[1], là, au coin de la cheminée, mademoiselle Fanny lui présente une tasse de café. Il sourit. Un assassin, que le récit de cette aventure aurait dû mettre au supplice, pour-
40 rait-il montrer tant de calme ? N'a-t-il pas un air vraiment patriarcal[2] ?

– Oui, mais allez lui demander s'il a fait la guerre en Allemagne, m'écriai-je.

– Pourquoi non ?

Et avec cette audace dont les femmes manquent rarement lorsqu'une entreprise leur sourit, ou que leur esprit est dominé par la curiosité, ma voisine s'avança vers le fournisseur.

– Vous êtes allé en Allemagne ? lui dit-elle.

50 Taillefer faillit laisser tomber sa soucoupe.

– Moi ! madame ? non jamais.

– Que dis-tu donc là, Taillefer ! répliqua le banquier en l'interrompant, n'étais-tu pas dans les vivres, à la campagne de Wagram[3] ?

– Ah, oui ! répondit monsieur Taillefer, cette fois-là, j'y suis allé.

– Vous vous trompez, c'est un bon homme, me dit ma voisine en revenant près de moi.

1. Fauteuil large et profond.
2. Paisible.
3. Campagne militaire de Napoléon contre l'Autriche (1809).

Quel secret révèle l'image du double ?

Analyse d'images ▶ p. 80

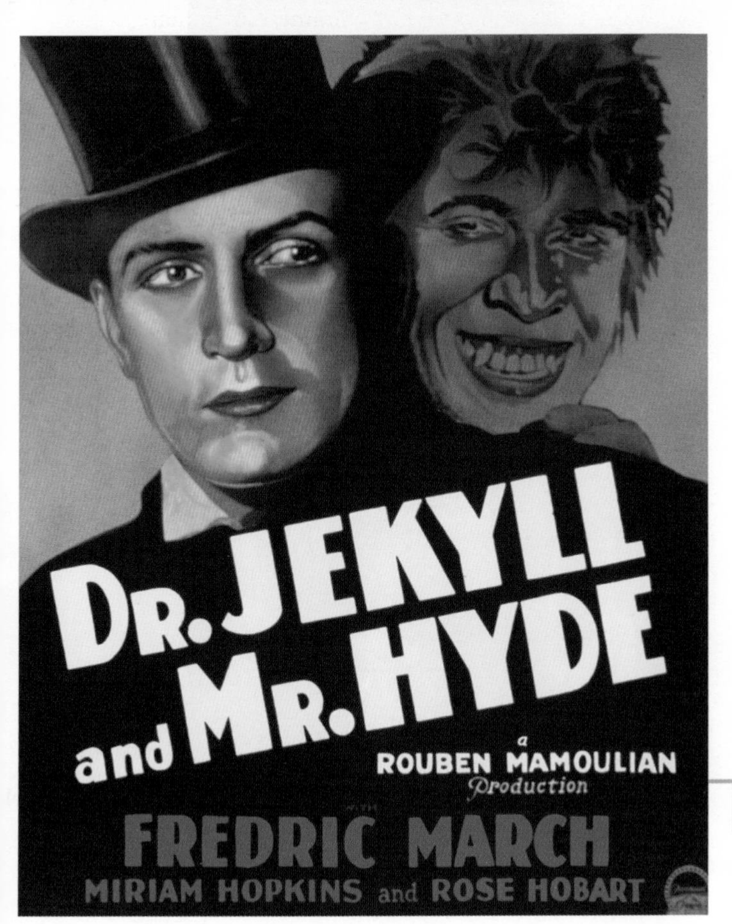

Affiche pour Dr. Jekyll et Mr. Hyde

Film de Rouben Mamoulian, 1931.

Le Sens de la nuit

René Magritte,
huile sur toile
(139 cm × 105 cm),
1927.

Le Portrait de Dorian Gray
Film d'Oliver Parker, 2009.

La Mort du double

Illustration d'Harry Clarke pour la nouvelle d'Edgar Allan Poe, *William Wilson*, 1923.

– Hé ! bien, m'écriai-je, avant la fin de la soirée je chasserai le meurtrier hors de la fange[4] où il se cache. 60

Il se passe tous les jours sous nos yeux un phénomène moral d'une profondeur étonnante, et cependant trop simple pour être remarqué. Si dans un salon deux hommes se rencontrent, dont l'un ait le droit de mépriser ou de haïr l'autre, soit par la connaissance d'un fait intime et latent dont il est entaché, soit par un état secret, ou même par une vengeance à venir, ces deux hommes se devinent et pressentent l'abîme qui les sépare ou doit les séparer. Ils s'observent à leur insu, se préoccupent d'eux-mêmes ; leurs regards, leurs gestes, laissent transpirer une indéfinis- 70 sable émanation de leur pensée, il y a un aimant entre eux. Je ne sais qui s'attire le plus fortement, de la vengeance ou du crime, de la haine ou de l'insulte. Semblables au prêtre qui ne pouvait consacrer l'hostie en présence du malin esprit, ils sont tous deux gênés, défiants : l'un est poli, l'autre sombre, je ne sais lequel ; l'un rougit ou pâlit, l'autre tremble. Souvent le vengeur est aussi lâche que la victime. Peu de gens ont le courage de produire un mal, même nécessaire ; et bien des hommes se taisent ou pardonnent en haine du bruit, ou par peur d'un dénouement 80 tragique. Cette intussusception[5] de nos âmes et de nos sentiments établissait une lutte mystérieuse entre le fournisseur et moi. Depuis la première interpellation que je lui avais faite pendant le récit de monsieur Hermann, il fuyait mes regards. Peut-être aussi évitait-il ceux de tous les convives ! Il causait avec l'inexpériente[6] Fanny, la fille du banquier ; éprouvant sans doute, comme tous les criminels, le besoin de se rapprocher de l'innocence, en espérant trouver du repos près d'elle. Mais, quoique loin de lui,

4. Ignominie, déshonneur extrême.
5. Capacité à être affecté et modifié dans sa sensibilité par une cause extérieure.
6. Néologisme de Balzac : sans expérience de la vie.

je l'écoutais, et mon œil perçant fascinait le sien. Quand il croyait pouvoir m'épier impunément, nos regards se rencontraient, et ses paupières s'abaissaient aussitôt. Fatigué de ce supplice, Taillefer s'empressa de le faire cesser en se mettant à jouer. J'allai parier pour son adversaire, mais en désirant perdre mon argent. Ce souhait fut accompli. Je remplaçai le joueur sortant, et me trouvai face à face avec le meurtrier...

– Monsieur, lui dis-je pendant qu'il me donnait des cartes, auriez-vous la complaisance de *démarquer*[1] ?

Il fit passer assez précipitamment ses jetons de gauche à droite. Ma voisine était venue près de moi, je lui jetai un coup d'œil significatif.

– Seriez-vous, demandai-je en m'adressant au fournisseur, monsieur Frédéric Taillefer, de qui j'ai beaucoup connu la famille à Beauvais ?

– Oui monsieur, répondit-il.

Il laissa tomber ses cartes, pâlit, mit sa tête dans ses mains, pria l'un de ses parieurs de tenir son jeu, et se leva.

– Il fait trop chaud ici, s'écria-t-il. Je crains...

Il n'acheva pas. Sa figure exprima tout à coup d'horribles souffrances, et il sortit brusquement. Le maître de la maison accompagna Taillefer, en paraissant prendre un vif intérêt à sa position. Nous nous regardâmes, ma voisine et moi ; mais je trouvai je ne sais quelle teinte d'amère tristesse répandue sur sa physionomie.

– Votre conduite est-elle bien miséricordieuse ? me demanda-t-elle en m'emmenant dans une embrasure de fenêtre au moment où je quittai le jeu après avoir perdu. Voudriez-vous accepter le pouvoir de lire dans tous les cœurs ? Pourquoi ne pas laisser agir la justice humaine et la

1. Retrancher les points marqués pour remettre les joueurs à zéro.

justice divine ? Si nous échappons à l'une, nous n'évitons jamais l'autre ! Les privilèges d'un président de Cour d'assises sont-ils donc bien dignes d'envie ? Vous avez presque fait l'office du bourreau.

– Après avoir partagé, stimulé ma curiosité, vous me faites de la morale !

– Vous m'avez fait réfléchir, me répondit-elle.

– Donc, paix aux scélérats, guerre aux malheureux, et déifions l'or ! Mais, laissons cela, ajoutai-je en riant. Regardez, je vous prie, la jeune personne qui entre en ce moment dans le salon. 130

– Eh ! bien ?

– Je l'ai vue il y a trois jours au bal de l'ambassadeur de Naples ; j'en suis devenu passionnément amoureux. De grâce, dites-moi son nom. Personne n'a pu...

– C'est mademoiselle Victorine Taillefer !

J'eus un éblouissement.

– Sa belle-mère, me disait ma voisine, dont j'entendis à peine la voix, l'a retirée depuis peu du couvent où s'est tardivement achevée son éducation. Pendant longtemps son père a refusé de la reconnaître. Elle vient ici pour la première fois. Elle est bien belle et bien riche. 140

Ces paroles furent accompagnées d'un sourire sardonique[2]. En ce moment, nous entendîmes des cris violents, mais étouffés. Ils semblaient sortir d'un appartement voisin et retentissaient faiblement dans les jardins.

– N'est-ce pas la voix de monsieur Taillefer ? m'écriai-je.

Nous prêtâmes au bruit toute notre attention, et d'épouvantables gémissements parvinrent à nos oreilles. La femme du banquier accourut précipitamment vers nous, et ferma la fenêtre. 150

2. Moqueur et méchant.

– Évitons les scènes, nous dit-elle. Si mademoiselle Taillefer entendait son père, elle pourrait bien avoir une attaque de nerfs !

Le banquier rentra dans le salon, y chercha Victorine, et lui dit un mot à voix basse. Aussitôt la jeune personne jeta un cri, s'élança vers la porte et disparut. Cet événement produisit une grande sensation. Les parties cessèrent. Chacun questionna son voisin. Le murmure des voix gros-
160 sit, et des groupes se formèrent.

– M. Taillefer se serait-il... demandai-je.

– Tué, s'écria ma railleuse voisine. Vous en porteriez gaiement le deuil, je pense !

– Mais que lui est-il donc arrivé ?

– Le pauvre bonhomme, répondit la maîtresse de la maison, est sujet à une maladie dont je n'ai pu retenir le nom, quoique monsieur Brousson me l'ait dit assez souvent, et il vient d'en avoir un accès.

– Quel est donc le genre de cette maladie ? demanda
170 soudain un juge d'instruction.

– Oh ! c'est un terrible mal, monsieur, répondit-elle. Les médecins n'y connaissent pas de remède. Il paraît que les souffrances en sont atroces. Un jour, ce malheureux Taillefer ayant eu un accès pendant son séjour à ma terre, j'ai été obligée d'aller chez une de mes voisines pour ne pas l'entendre ; il pousse des cris terribles, il veut se tuer ; sa fille fut alors forcée de le faire attacher sur son lit, et de lui mettre la camisole des fous. Ce pauvre homme prétend avoir dans la tête des animaux qui lui rongent la cervelle :
180 c'est des élancements, des coups de scie, des tiraillements horribles dans l'intérieur de chaque nerf. Il souffre tant à la tête qu'il ne sentait pas les moxas[1] qu'on lui appliquait

1. Procédé de médecine en Extrême-Orient, consistant à brûler le haut du crâne, afin d'en évacuer, prétendument, la maladie.

jadis pour essayer de le distraire ; mais monsieur Brousson, qu'il a pris pour médecin, les a défendus, en prétendant que c'était une affection nerveuse, une inflammation de nerfs, pour laquelle il fallait des sangsues au cou et de l'opium sur la tête ; et, en effet, les accès sont devenus plus rares, et n'ont plus paru que tous les ans, vers la fin de l'automne. Quand il est rétabli, Taillefer répète sans cesse qu'il aimerait mieux aimé être roué[2], que de ressentir de pareilles douleurs.

– Alors, il paraît qu'il souffre beaucoup, dit un agent de change, le bel esprit du salon.

– Oh ! reprit-elle, l'année dernière il a failli périr. Il était allé seul à sa terre, pour une affaire pressante ; faute de secours peut-être, il est resté vingt-deux heures étendu raide, et comme mort. Il n'a été sauvé que par un bain très chaud.

– C'est donc une espèce de tétanos ? demanda l'agent de change.

– Je ne sais pas, reprit-elle. Voilà près de trente ans qu'il jouit de cette maladie gagnée aux armées ; il lui est entré, dit-il, un éclat de bois dans la tête en tombant dans un bateau ; mais Brousson espère le guérir. On prétend que les Anglais ont trouvé le moyen de traiter sans danger cette maladie-là par l'acide prussique[3].

En ce moment, un cri plus perçant que les autres retentit dans la maison et nous glaça d'horreur.

– Eh ! bien, voilà ce que j'entendais à tout moment, reprit la femme du banquier. Cela me faisait sauter sur ma chaise et m'agaçait les nerfs. Mais, chose extraordinaire ! ce pauvre Taillefer, tout en souffrant des douleurs inouïes, ne risque jamais de mourir. Il mange et boit

190

200

210

La maladie de Taillefer

De nombreuses hypothèses savantes ont été émises sur la nature exacte de cette maladie : épilepsie, névralgies, migraines, troubles psychosomatiques. Le plus important est de voir que, pour Balzac, il s'agit du châtiment du crime commis par Taillefer. À défaut d'avoir été puni par la justice humaine, il l'a été par la justice divine. ■

2. Battu violemment.
3. Produit toxique violent auquel on attribuait des vertus thérapeutiques.

comme à l'ordinaire pendant les moments de répit que lui laisse cet horrible supplice (la nature est bien bizarre !). Un médecin allemand lui a dit que c'était une espèce de goutte[1] à la tête ; cela s'accorderait assez avec l'opinion de Brousson.

Je quittai le groupe qui s'était formé autour de la maî-
220 tresse du logis, et sortis avec mademoiselle Taillefer, qu'un valet vint chercher...

– Oh ! mon Dieu ! mon Dieu ! s'écria-t-elle en pleurant, qu'a donc fait mon père au ciel pour avoir mérité de souffrir ainsi ?... un être si bon !

Je descendis l'escalier avec elle, et en l'aidant à monter dans la voiture, j'y vis son père courbé en deux. Mademoiselle Taillefer essayait d'étouffer les gémissements de son père en lui couvrant la bouche d'un mouchoir ; malheureusement, il m'aperçut, sa figure parut se
230 crisper encore davantage, un cri convulsif fendit les airs, il me jeta un regard horrible, et la voiture partit.

Ce dîner, cette soirée, exercèrent une cruelle influence sur ma vie et sur mes sentiments. J'aimai mademoiselle Taillefer, précisément peut-être parce que l'honneur et la délicatesse m'interdisaient de m'allier à un assassin, quelque bon père et bon époux qu'il pût être. Une incroyable fatalité m'entraînait à me faire présenter dans les maisons où je savais pouvoir rencontrer Victorine. Souvent, après m'être donné à moi-même ma parole
240 d'honneur de renoncer à la voir, le soir même je me trouvais près d'elle. Mes plaisirs étaient immenses. Mon légitime amour, plein de remords chimériques, avait la couleur d'une passion criminelle. Je me méprisais de saluer Taillefer, quand par hasard il était avec sa fille ; mais je le

1. Maladie affectant les articulations, dont la douleur se manifeste le plus souvent au niveau du gros orteil.

saluais ! Enfin, par malheur, Victorine n'est pas seulement une jolie personne ; de plus elle est instruite, remplie de talents, de grâces, sans la moindre pédanterie, sans la plus légère teinte de prétention. Elle cause avec réserve ; et son caractère a des grâces mélancoliques auxquelles personne ne sait résister ; elle m'aime, ou du moins elle me le laisse croire ; elle a un certain sourire qu'elle ne trouve que pour moi ; et pour moi, sa voix s'adoucit encore. Oh ! elle m'aime ! mais elle adore son père, mais elle m'en vante la bonté, la douceur, les qualités exquises. Ces éloges sont autant de coups de poignard qu'elle me donne dans le cœur. Un jour, je me suis trouvé presque complice du crime sur lequel repose l'opulence de la famille Taillefer : j'ai voulu demander la main de Victorine. Alors j'ai fui, j'ai voyagé, je suis allé en Allemagne, à Andernach. Mais je suis revenu. J'ai retrouvé Victorine pâle, elle avait maigri ! si je l'avais revue bien portante, gaie, j'étais sauvé ! Ma passion s'est rallumée avec une violence extraordinaire. Craignant que mes scrupules ne dégénérassent en monomanie[2], je résolus de convoquer un sanhédrin[3] de consciences pures, afin de jeter quelque lumière sur ce problème de haute morale et de philosophie. La question s'était encore bien compliquée depuis mon retour. Avant-hier donc, j'ai réuni ceux de mes amis auxquels j'accorde le plus de probité[4], de délicatesse et d'honneur. J'avais invité deux Anglais, un secrétaire d'ambassade et un puritain[5] ; un ancien ministre dans toute la maturité de la politique ; des jeunes gens encore sous le charme de l'innocence ; un prêtre, un vieillard ; puis mon ancien tuteur, homme naïf, qui m'a rendu le plus beau compte de tutelle[6] dont la mémoire soit restée au Palais ; un avocat, un notaire,

2. Aliénation mentale qui se fixe obsessionnellement sur une seule idée.
3. Tribunal des anciens juifs qui jugeait les affaires importantes. Ici, synonyme de conseil des sages.
4. Honnêteté.
5. Membre d'une secte protestante à la morale très rigide.
6. La tutelle donne le droit à un adulte de gérer les intérêts d'un mineur. Le compte de tutelle clôt cette gestion à sa majorité.

un juge, enfin toutes les opinions sociales, toutes les vertus pratiques. Nous avons commencé par bien dîner, bien parler, bien crier ; puis, au dessert, j'ai raconté naïvement mon histoire, et demandé quelque bon avis en cachant le 280 nom de ma prétendue.

– Conseillez-moi, mes amis, leur dis-je en terminant. Discutez longuement la question, comme s'il s'agissait d'un projet de loi. L'urne et les boules du billard vont vous être apportées, et vous voterez pour ou contre mon mariage, dans tout le secret voulu par un scrutin !

Un profond silence régna soudain. Le notaire se récusa[1].

– Il y a, dit-il, un contrat à faire.

Le vin avait réduit mon ancien tuteur au silence, et il fallait le mettre en tutelle pour qu'il ne lui arrivât aucun 290 malheur en retournant chez lui.

– Je comprends ! m'écriai-je. Ne pas donner son opinion, c'est me dire énergiquement ce que je dois faire.

Il y eut un mouvement dans l'assemblée.

Un propriétaire qui avait souscrit pour les enfants et la tombe du général Foy[2], s'écria :

– *Ainsi que la vertu le crime a ses degrés*[3] *!*

– Bavard ! me dit l'ancien ministre à voix basse en me poussant le coude.

– Où est la difficulté ? demanda un duc dont la fortune 300 consiste en biens confisqués à des protestants réfractaires lors de la révocation de l'édit de Nantes[4].

L'avocat se leva : – En droit, *l'espèce* qui nous est soumise ne constituerait pas la moindre difficulté. Monsieur le duc a raison ! s'écria l'organe de la loi. N'y a-t-il pas prescription ? Où en serions-nous tous s'il fallait rechercher l'origine des fortunes ! Ceci est une affaire de conscience.

1. Refusa de donner son avis.
2. Député sous la Restauration (1775-1825), mort dans la misère, auquel une souscription nationale avait permis d'offrir une sépulture et une dot pour ses enfants.
3. Citation de Racine, *Phèdre* (acte IV, scène 2).
4. Louis XIV, en révoquant l'Édit de Nantes en 1685, interdit aux protestants de pratiquer leur culte. Les réfractaires virent leurs biens confisqués et vendus.

Si vous voulez absolument porter la cause devant un tribunal, allez à celui de la pénitence.

Le Code incarné se tut, s'assit et but un verre de vin de Champagne. L'homme chargé d'expliquer l'Évangile, le bon prêtre, se leva. 310

– Dieu nous a faits fragiles, dit-il avec fermeté. Si vous aimez l'héritière du crime, épousez-la, mais contentez-vous du bien matrimonial, et donnez aux pauvres celui du père.

– Mais, s'écria l'un de ces ergoteurs[5] sans pitié qui se rencontrent si souvent dans le monde, le père n'a peut-être fait un beau mariage que parce qu'il s'était enrichi. Le moindre de ses bonheurs n'a-t-il donc pas toujours été un fruit du crime ?

– La discussion est en elle-même une sentence ! Il est des choses sur lesquelles un homme ne délibère pas, s'écria mon ancien tuteur qui crut éclairer l'assemblée par une saillie d'ivresse. 320

– Oui ! dit le secrétaire d'ambassade.

– Oui ! s'écria le prêtre.

Ces deux hommes ne s'entendaient pas.

Un doctrinaire[6] auquel il n'avait guère manqué que cent cinquante voix sur cent cinquante-cinq votants pour être élu, se leva.

– Messieurs, cet accident phénoménal de la nature intellectuelle est un de ceux qui sortent le plus vivement de l'état normal auquel est soumise la société, dit-il. Donc, la décision à prendre doit être un fait extemporané[7] de notre conscience, un concept soudain, un jugement instructif, une nuance fugitive de notre appréhension intime assez semblable aux éclairs qui constituent le sentiment du goût. Votons. 330

5. Personne qui discute sur des sujets sans importance.
6. Royaliste libéral, partisan d'une monarchie constitutionnelle sous la Restauration.
7. Improvisé, non prémédité.

– Votons ! s'écrièrent mes convives.

Je fis donner à chacun deux boules, l'une blanche, l'autre
340 rouge. Le blanc, symbole de la virginité, devrait proscrire le mariage ; et la boule rouge, l'approuver. Je m'abstins de voter par délicatesse. Mes amis étaient dix-sept, le nombre neuf formait la majorité absolue. Chacun alla mettre sa boule dans le panier d'osier à col étroit où s'agitent les billes numérotées quand les joueurs tirent leurs places à la poule, et nous fûmes agités par une assez vive curiosité, car ce scrutin de morale épurée avait quelque chose d'original. Au dépouillement du scrutin, je trouvai neuf boules blanches ! Ce résultat ne me surprit pas ; mais je m'avi-
350 sai de compter les jeunes gens de mon âge que j'avais mis parmi mes juges. Ces casuistes[1] étaient au nombre de neuf, ils avaient tous eu la même pensée.

– Oh ! oh ! me dis-je, il y a unanimité secrète pour le mariage et unanimité pour me l'interdire ! Comment sortir d'embarras ?

– Où demeure le beau-père ? demanda étourdiment un de mes camarades de collège, moins dissimulé que les autres.

– Il n'y a plus de beau-père, m'écriai-je. Jadis ma
360 conscience parlait assez clairement pour rendre votre arrêt superflu. Et si aujourd'hui sa voix s'est affaiblie, voici les motifs de ma couardise[2]. Je reçus, il y a deux mois, cette lettre séductrice.

Je leur montrai l'invitation suivante, que je tirai de mon portefeuille.

« VOUS ÊTES PRIÉ D'ASSISTER AUX CONVOI, SERVICE ET ENTERREMENT DE M. JEAN-FRÉDERIC TAILLEFER, DE LA MAISON TAILLEFER ET COMPAGNIE, ANCIEN

1. Théologiens spécialistes des cas de conscience (emploi ironique).
2. Lâcheté.

FOURNISSEUR DES VIVRES-VIANDES, EN SON VIVANT CHEVALIER DE LA LÉGION D'HONNEUR ET DE L'ÉPERON D'OR[3], CAPITAINE DE LA PREMIÈRE COMPAGNIE DE GRENADIERS DE LA DEUXIÈME LÉGION DE LA GARDE NATIONALE DE PARIS, DÉCÉDÉ LE PREMIER MAI DANS SON HÔTEL, RUE JOUBERT, ET QUI SE FERONT À… etc. »

« *De la part de… etc.* »

– Maintenant, que faire ? repris-je. Je vais vous poser la question très largement. Il y a bien certainement une mare de sang dans les terres de mademoiselle Taillefer, la succession de son père est un vaste *hacelma*[4]. Je le sais. Mais Prosper Magnan n'a pas laissé d'héritiers ; mais il m'a été impossible de retrouver la famille du fabricant d'épingles assassiné à Andernach. À qui restituer la fortune ? Et doit-on restituer toute la fortune ? Ai-je le droit de trahir un secret surpris, d'augmenter d'une tête coupée la dot d'une innocente jeune fille, de lui faire faire de mauvais rêves, de lui ôter une belle illusion, de lui tuer son père une seconde fois, en lui disant : Tous vos écus sont tachés ? J'ai emprunté le *Dictionnaire des Cas de conscience* à un vieil ecclésiastique, et n'y ai point trouvé de solution à mes doutes. Faire une fondation pieuse pour l'âme de Prosper Magnan, de Walhenfer, de Taillefer ? nous sommes en plein dix-neuvième siècle. Bâtir un hospice ou instituer un prix de vertu, le prix de vertu sera donné à des fripons. Quant à la plupart de nos hôpitaux, ils me semblent devenus aujourd'hui les protecteurs du vice ! D'ailleurs ces placements plus ou moins profitables à la vanité constitueront-ils des réparations ? et les dois-je ? Puis j'aime, et j'aime avec passion. Mon amour est ma vie ! Si je propose sans motif à une

370

380

390

Balzac, Escobar et les casuistes

Le narrateur consulte le *Dictionnaire des Cas de conscience* écrit par un théologien jésuite espagnol, Escobar y Mendoza, en 1626. Le philosophe Pascal dénonçait en lui le type de théologien laxiste, prêt à tous les compromis pour justifier les comportements les moins acceptables.
Le choix du narrateur semble indiquer qu'il est prêt, lui aussi, à transiger avec ses principes afin d'épouser Victorine Taillefer. ■

3. Décoration pontificale.
4. Le terme exact est *haceldama*, en hébreu « champ du sang » : nom donné au terrain acheté avec les trente deniers de la trahison de Judas.

jeune fille habituée au luxe, à l'élégance, à une vie fertile
400 en jouissances d'arts, à une jeune fille qui aime à écouter paresseusement aux Bouffons[1] la musique de Rossini[2], si donc je lui propose de se priver de quinze cent mille francs en faveur de vieillards stupides ou de galeux chimériques, elle me tournera le dos en riant, ou sa femme de confiance me prendra pour un mauvais plaisant ; si, dans une extase d'amour, je lui vante les charmes d'une vie médiocre et ma petite maison sur les bords de la Loire, si je lui demande le sacrifice de sa vie parisienne au nom de notre amour, ce sera d'abord un vertueux mensonge ; puis, je ferai peut-
410 être là quelque triste expérience, et perdrai le cœur de cette jeune fille, amoureuse du bal, folle de parure, et de moi pour le moment. Elle me sera enlevée par un officier mince et pimpant, qui aura une moustache bien frisée, jouera du piano, vantera lord Byron[3], et montera joliment à cheval. Que faire ? Messieurs, de grâce, un conseil ?....

L'honnête homme, cette espèce de puritain assez semblable au père de Jenny Deans[4], de qui je vous ai déjà parlé, et qui jusque-là n'avait soufflé mot, haussa les épaules en me disant : – Imbécile, pourquoi lui as-tu demandé s'il
420 était de Beauvais !

1. L'opéra « Bouffe », ancêtre de l'Opéra Comique.
2. Célèbre musicien italien (1792-1968) qui vit à Paris et connaît un grand succès sous la Restauration.
3. Poète anglais (1788-1824), prototype du héros romantique.
4. Personnage d'un roman de Walter Scott, *La Prison d'Edimbourg*.

« *Si les pensées tuaient, que de crimes !* »

Alain

Relire...
L'Auberge rouge

Testez votre lecture

L'organisation du récit initial

1 Où se déroule le début de *L'Auberge rouge*, dans quel cadre et à quelle époque ?

2 Qui en est le narrateur ?

3 Quels en sont les personnages centraux ?

4 Quelles sont les composantes de cette situation initiale ?

5 Quel est l'élément déclencheur qui la rompt ?

Le récit central

6 Où et quand se déroule l'histoire racontée par Hermann ?

7 Quels en sont les personnages principaux ?

8 Quel est le contexte historique en arrière-plan ?

9 Quel fait constitue l'enjeu majeur de ce récit ? En quoi est-il problématique ?

10 Comment se termine le récit d'Hermann ? Cette fin résout-elle les questions qu'il soulève ?

La relation entre les deux récits

11 Quels liens unissent le récit d'Hermann et la situation initiale ?

12 Comment ces liens apparaissent-ils progressivement ? Qui contribue à leur apparition et à leur éclaircissement ?

13 Quel impact le récit d'Hermann a-t-il sur ses auditeurs ?

La fin du récit initial

14 Quelles conséquences inattendues le récit d'Hermann a-t-il sur la vie du narrateur ?

15 Comment celui-ci choisit-il de résoudre le problème qui lui est posé ?

16 Que révèle ce choix sur sa personnalité ?

17 Comment interprétez-vous la fin du récit ? Quels choix sont laissés au lecteur ?

L'« étude philosophique »

18 « Les deux justices » : que signifie le titre de la seconde partie ?

19 Qui est coupable, qui est innocent dans cette histoire ?

20 Peut-on dire, à la fin du récit, que la justice a été rendue ?

Structure de l'œuvre

L'Auberge rouge est constituée de deux narrations enchâssées, celle du narrateur et celle d'Hermann. Elle est également divisée en deux parties intitulées « Le fait et l'idée » et « Les deux justices », précédées d'une scène de présentation. Nous avons choisi de présenter la structure de l'œuvre en tableaux et scènes, comme au théâtre.

PROLOGUE	**Récit du narrateur**
À une date non déterminée, probablement en 1830, un banquier parisien organise une fête en l'honneur d'une relation d'affaires, un négociant allemand nommé Hermann. À la fin du repas, son attention est attirée par la physionomie singulière de l'un des convives, un riche homme d'affaires. Une jeune fille demande alors au négociant allemand de raconter une histoire qui « fasse bien peur ».	
TABLEAU 1	**Récit d'Hermann. 1re partie : Le fait et l'idée**
Scène 1	• L'histoire a pour cadre les bords du Rhin, le soir du 20 octobre 1799, pendant les guerres de la Révolution française. Deux jeunes aides-chirurgiens français, Prosper Magnan et son compagnon (qu'Hermann dénomme Wilhelm, ne retrouvant pas son véritable nom) s'apprêtent à rejoindre l'armée française. Ils font une dernière halte dans la ville d'Andernach à « l'Auberge rouge ». • Survient un autre voyageur, un fabricant allemand, Walhenfer, portant une lourde valise. Les deux jeunes gens acceptent de partager leur repas et leur chambre avec lui. Au cours du dîner, il leur révèle que sa valise est remplie d'or et de diamants.
Scène 2	• Au coucher, Prosper Magnan, troublé par la proximité de cette fortune, ne parvient pas à s'endormir. Il en vient progressivement à fomenter jusque dans les moindres détails l'assassinat de Walhenfer et les modalités de sa fuite, mais, au moment de l'exécuter, un scrupule le retient dans son geste. Effrayé, il sort de l'auberge pour retrouver son calme, puis rentre silencieusement et s'endort.
Scène 3	• Au réveil, Prosper, les mains tachées de sang, découvre Walhenfer décapité ; Wilhelm et la valise ont disparu. Aussitôt accusé, il est jeté en prison où il fait la connaissance d'Hermann, également détenu. Celui-ci acquiert rapidement la conviction que Prosper est innocent. Mais les apparences sont contre lui, il se défend mal, rongé par le remords d'avoir conçu ce crime. Il ne veut pas croire en la culpabilité de son ami, dont Hermann retrouve soudain le prénom, Frédéric. La justice militaire, expéditive, le condamne à mort.

Arrière-plan	• La narration d'Hermann est interrompue à plusieurs reprises par des remarques du narrateur qui ne cesse d'observer l'attitude de l'étrange convive, dont il apprend le nom, Taillefer. Il le soupçonne d'avoir été Frédéric, alias Wilhelm, le coupable du crime.
TABLEAU 2	**Récit du narrateur. 2e partie : Les deux justices**
Scène 1	• Hermann révèle au narrateur et à sa voisine l'exécution de Prosper.
Scène 2	• Certain d'avoir découvert la vérité, le narrateur va, durant toute la soirée, torturer mentalement Taillefer en lui faisant comprendre qu'il l'a démasqué, et s'attribuer le rôle du justicier. Ne supportant plus la situation, Taillefer, pris d'un malaise, se retire.
Scène 3	• À cet instant, entre dans la pièce une jeune fille, dont le narrateur est tombé récemment amoureux en l'apercevant dans un bal, mais dont il ignore le nom. Simultanément, il apprend qu'il s'agit de Victorine, la fille de Taillefer.
Transition	• Pris entre son amour pour Victorine et son refus de se faire le complice du père, le narrateur cherche en vain à fuir pendant quelque temps.
TABLEAU 3	**Récit du narrateur. 2e partie : Les deux justices**
Scène unique	• Le narrateur réunit un conseil d'amis, auquel il expose son dilemme en leur demandant par un vote secret de se prononcer pour ou contre son mariage avec Victorine. Une courte majorité se dégage contre. Mais le narrateur introduit un élément nouveau, l'avis de décès de Taillefer, qui change les données du problème. Le récit s'achève sans réponse.

Pause lecture 1

Comment faire remonter un secret enfoui ?

p. 14 à 17, l. 42 à 128

Retour au texte

1 • Comment comprenez-vous l'expression « mélancolie matérielle de la gastronomie » (l. 69) ?

2 • À quelle(s) science(s) le narrateur prétend-il s'adonner en observant son convive ?

Interprétations

Somnolence heureuse ?

3 • Quelles sont les impressions ressenties par les convives dans la première partie de l'extrait ? Comment s'expliquent-elles ?

4 • Quels comportements particuliers sont décrits par le narrateur ? Que révèlent-ils sur les personnages ?

Un convive énigmatique

5 • Quelle est l'apparence initiale du convive auquel s'intéresse le narrateur ? Comparez son portrait avec celui qu'en donne l'extrait de *La Peau de chagrin* (p. 67).

6 • Quels éléments attirent son attention ? Quelles interrogations font-ils naître ? En quoi le texte (p. 67) vient-il confirmer son attitude ?

Un observateur prétentieux... ou perspicace ?

7 • En vous appuyant sur la suite du récit, indiquez brièvement quel est le rôle du bouchon de cristal manipulé par le convive.

8 • De quelle nature sont les observations du narrateur ? Lui donnent-elles des certitudes ?

9 • Que décèle exactement le narrateur dans le comportement du convive ?

Et vous ?

Expression écrite

Le narrateur se définit comme « chercheur de tableaux ». Vous rédigerez un paragraphe qui montrera en quoi ce passage du récit emprunte ses procédés à la peinture et aux arts visuels.

Vers l'oral du bac

1 **Question sur l'extrait étudié** – Étudiez ce qui relève du fantastique dans cette scène de présentation.

2 **Question sur un autre extrait** – Étudiez l'atmosphère du repas à l'auberge rouge (l. 256-362).

Texte • Honoré de Balzac, *La Peau de chagrin*, 1831

Le banquier Taillefer organise un grand festin. Au dessert, il dévoile l'origine de sa fortune.

Le maître du logis se sentant ivre, n'osait se lever, mais il approuvait les extravagances de ses convives par une grimace fixe, en tâchant de conserver un air décent et hospitalier. Sa large figure, devenue rouge et bleue, presque violacée, terrible à voir, s'associait au mouvement général par des efforts semblables au roulis et au tangage d'un brick.

– Les avez-vous assassinés ? lui demanda Émile.

– La peine de mort va, dit-on, être abolie en faveur de la révolution de juillet, répondit Taillefer qui haussa les sourcils d'un air tout à la fois plein de finesse et de bêtise.

– Mais ne les voyez-vous pas quelquefois en songe ? reprit Raphaël.

– Il y a prescription ! dit le meurtrier plein d'or.

Le lendemain, Taillefer apparaît au milieu de ses convives ivres.

Un rire satanique s'éleva tout à coup lorsque Taillefer, entendant le râle sourd de ses hôtes, essaya de les saluer par une grimace ; son visage en sueur et sanguinolent fit planer sur cette scène infernale l'image du crime sans remords. Le tableau fut complet. C'était la vie fangeuse au sein du luxe, un horrible mélange des pompes[1] et des misères humaines, le réveil de la débauche, quand de ses mains fortes elle a pressé tous les fruits de la vie, pour ne laisser autour d'elle que d'ignobles débris ou des mensonges auxquels elle ne croit plus. Vous eussiez dit la Mort souriant au milieu d'une famille pestiférée : plus de parfums ni de lumières étourdissantes, plus de gaieté ni de désirs ; mais le dégoût avec ses odeurs nauséabondes et sa poignante philosophie, mais le soleil éclatant comme la vérité, mais un air pur comme la vertu, qui contrastaient avec une atmosphère chaude, chargée de miasmes, les miasmes d'une orgie !

1. Cérémonies fastueuses.

Pause lecture 2

Comment naît le projet d'un crime ?

p. 31 à 33, l. 392 à 459

Retour au texte

1 • Quels termes traduisent l'état d'esprit de Prosper Magnan lorsqu'il conçoit son projet de crime ?

2 • Quel mot résume ce qu'il pense de son intention de tuer à la fin du passage ? Comparez avec Raskolnikov dans *Crime et Châtiment* (p. 69).

Interprétations

L'idée du crime

3 • Quelles conditions prédisposent l'esprit de Prosper Magnan au crime ?

4 • Dans quel état mental se trouve-t-il dans cette scène ?

Les motivations du crime

5 • Quelles raisons de tuer Prosper Magnan se donne-t-il ? Comparez-les avec celles de Raskolnikov (p. 69).

6 • Distinguez les différentes phases du processus qui le conduisent vers la réalisation de son projet.

Le bon discernement ?

7 • « La délibération était déjà sans doute un crime » : que pensez-vous de cette affirmation ?

8 • Qu'est-ce qui retient Prosper Magnan au dernier moment ? Comment expliquez-vous cette hésitation ?

9 • Dans la suite du récit, Hermann donne ses propres explications à ce renoncement de dernière seconde. Quel éclairage apportent-elles sur le geste de Prosper Magnan ?

Et vous ?

Exposé/débat

En vous répartissant les rôles (accusateurs, défenseurs, jurés) vous organiserez un débat qui répondra à la question suivante : Prosper Magnan est-il coupable ou innocent ?

Vers l'oral du bac

1 **Question sur l'extrait étudié** – Étudiez les états psychologiques par lesquels passe Prosper Magnan.

2 **Question sur un autre extrait** – Analysez les différentes étapes du retour au calme de Prosper Magnan dans le passage qui suit (l. 459-498).

Texte • Fedor Dostoïevski, *Crime et Châtiment*, 1866

Raskolnikov, le « héros » du roman, va progressivement se persuader qu'il peut tuer légitimement une vieille usurière avare. Il surprend ici un dialogue entre deux jeunes gens.

– D'ailleurs que vaut, dans la balance commune, la vie de cette vieille poitrinaire, bête et méchante ? […]

– Bien sûr, elle est indigne de vivre, remarqua l'officier. Mais c'est l'ordre de la nature.

– Ah ! mon ami, mais la nature, on la corrige et on la dirige, autrement nous aurions déjà sombré dans les préjugés. Autrement, il n'y aurait jamais eu un seul grand homme. On dit : « Le devoir, la conscience ! » Je ne veux rien dire contre le devoir et la conscience, mais est-ce que nous les comprenons bien ? Attends un peu, je vais te poser encore une question. Écoute !

– Non, attends, toi : c'est moi qui te poserai une question. Écoute !

– Eh bien ?

– Eh bien, toi qui parles maintenant et fais si bien l'orateur, dis-moi : est-ce que tu la tuerais, toi, la vieille, ou non ?

– Bien sûr que non. Je parle pour la justice… Ce n'est pas de moi qu'il s'agit…

– Eh bien, à mon avis, si tu ne t'y décides pas, toi, c'est qu'il n'y a pas de justice là-dedans. Encore une partie ?

Raskolnikov était dans un trouble extraordinaire. Bien sûr, tout cela n'était que des discours et des idées de jeunes gens, bien ordinaires et bien fréquents, plus d'une fois déjà entendus, seulement sous d'autres formes et à d'autres propos. Mais pourquoi, précisément aujourd'hui, avait-il fallu qu'il entende ce dialogue et ces idées, alors que dans sa propre tête venaient de germer… *des idées absolument semblables* ? Et pourquoi, précisément aujourd'hui qu'il avait rapporté de chez la vieille ce germe d'idées, était-il tombé justement sur cet entretien à propos de la vieille ?… Cette coïncidence lui sembla toujours singulière. Cette insignifiante conversation de cabaret eut sur lui une influence extraordinaire pendant tout le cours de l'affaire : comme s'il y avait eu là une espèce de prédestination, une indication…

Pause lecture 3 Le narrateur, justicier ou victime ?

p. 49 à 51, l. 83 à 146

Retour au texte

1 • Expliquez la question posée par sa voisine au narrateur : « votre conduite est-elle bien miséricordieuse ? » (l. 116).

Interprétations

Un narrateur justicier ?

2 • Quels sentiments le narrateur éprouve-t-il pour Taillefer ? Que traduisent-ils ?

3 • Comment se comporte-t-il à son égard durant cette scène ? Comparez avec celle du juge dans le texte de Dostoïevski (p. 71).

Un narrateur qui pèche par orgueil ?

4 • Quels reproches la voisine du narrateur lui adresse-t-elle ? En vous référant à la suite de la scène, précisez à quoi ces reproches peuvent être assimilés.

5 • Quel rôle prétend-il implicitement jouer selon elle ?

6 • Pensez-vous que son attitude soit légitime ? Justifiez votre réponse. Faites le parallèle avec le texte de Dostoïevski (p. 71).

Un narrateur qui s'est aveuglé lui-même ?

7 • Relisez la question que le narrateur pose à Taillefer dans ce passage et la dernière réplique du récit. Que constatez-vous ?

8 • Quel effet produit la révélation de l'identité de la femme qu'il aime sur le narrateur ?

9 • Quelles sont les conséquences de cette révélation par la suite ?

Et vous ?

Récit d'invention

Après avoir relu l'œuvre, vous dresserez le portrait du narrateur, en vous intéressant à sa dimension psychologique et morale.

Vers l'oral du bac

1 **Question sur l'extrait étudié** – En quoi le passage s'apparente-t-il à un coup de théâtre ?

2 **Question sur un autre extrait** – Analysez le réveil de Prosper Magnan découvrant la scène du crime (p. 35-36, l. 517-539).

Texte • Fedor Dostoïevski, *Crime et Châtiment*, 1866

Dans Crime et Châtiment, *le juge Porphyre a compris que Raskolnikov a tué la vieille usurière, mais il veut que celui-ci avoue son crime. Il va donc torturer le suspect pour parvenir à ses fins, comme le narrateur le fait avec Taillefer, mais selon une méthode bien différente.*

– Je vous le répète, s'écria Raskolnikov en fureur, je ne peux pas supporter plus longtemps…

– Quoi ? L'incertitude ? interrompit Porphyre.

– Ne me piquez pas ! Je ne veux pas… Je vous dis que je ne veux pas !…

Je ne peux ni ne veux !… Vous entendez ! Vous entendez ! cria-t-il en frappant de nouveau du poing sur la table.

– Plus doucement, plus doucement ! On va nous entendre ! je vous préviens sérieusement : ménagez-vous. Je ne plaisante pas ! prononça Porphyre dans un chuchotement, mais cette fois-ci son visage n'avait plus l'expression bonne-femme, débonnaire et épouvantée, de tout à l'heure ; au contraire, maintenant c'était un *ordre* qu'il donnait, sévèrement, fronçant les sourcils, et semblant abandonner du coup tous les mystères et toutes les ambiguïtés. Mais cela ne dura qu'un instant. Raskolnikov, d'abord intrigué, tomba brusquement dans une fureur véritable ; mais chose singulière : il obéit, cette fois encore, à l'ordre de parler plus bas, bien qu'il fût réellement au paroxysme de la rage.

– Je ne me laisserai pas tourmenter ! chuchota-t-il soudain, comme tout à l'heure, reconnaissant instantanément avec douleur et haine qu'il ne pouvait pas ne pas obéir à l'ordre, et par cette idée même acculé à une rage encore plus violente… Arrêtez-moi, fouillez-moi, mais opérez dans les formes, ne vous jouez pas de moi ! Ne vous permettez pas…

– Mais ne vous inquiétez donc pas des formes, interrompit Porphyre, avec son sourire malin d'auparavant et comme s'il trouvait une jouissance à observer Raskolnikov. Je vous ai invité ici, mon bon, tout à fait familièrement, tout à fait amicalement !

Pause lecture 4

Faut-il choisir entre la morale et l'amour ?

p. 58 à 60, l. 339 à 420

Retour au texte

1 • « Il y a unanimité secrète pour le mariage et unanimité pour me l'interdire » : comment comprenez-vous cette phrase du narrateur ?

Interprétations

Un cas de conscience

2 • Quelles raisons retiennent le narrateur dans son désir d'épouser Victorine Taillefer ?

3 • Quelle solution choisit-il pour décider de son éventuel mariage ? À quoi s'apparente-t-elle ? Comparez ce choix avec l'attitude du personnage dans la version de George Sand (p. 73).

Une argumentation habile ?

4 • En quoi le décès de Frédéric Taillefer change-t-il les données du problème ?

5 • Classez et analysez les arguments que développe le narrateur en fin de récit.

6 • Comparez-les avec ceux du personnage dans la pièce de George Sand (p. 73).

L'avenir d'un secret

7 • À la fin du récit, qui connaît la probable vérité sur le crime ?

8 • Comment comprenez-vous la remarque du puritain qui clôt le récit ?

9 • Selon vous, pourquoi Balzac choisit-il d'arrêter son récit à cet instant ?

Et vous ?

Expression écrite

Qu'auriez-vous voté si vous aviez été convié à donner votre avis sur le mariage du narrateur ? Vous argumenterez votre choix.

Vers l'oral du bac

1 **Question sur l'extrait étudié** – Le dénouement justifie-t-il le choix de Balzac d'intégrer *L'Auberge rouge* dans la section *Études philosophiques* de *La Comédie humaine* ?

2 **Question sur un autre extrait** – Comment se termine l'histoire d'Hermann (p. 47-48, l. 1-29). Comparez cette fin à celle de l'ensemble du récit.

Texte • George Sand, *L'Auberge rouge*, 1859

George Sand a écrit une adaptation de L'Auberge rouge *pour son théâtre privé. Elle a changé les noms des personnages et imaginé que c'est le fils de Prosper Magnan qui démasque l'assassin. Il dicte alors son « verdict ».*

Scène 25 [...]

VICTORINE. – Vous paraissez ému, triste peut-être !... Ah ! si ce mariage ne vous satisfait pas... j'y renoncerais plutôt !

TACHEFER. – Le mariage est ma plus chère espérance. Allez et ne craignez rien !

Victorine l'embrasse encore et sort avec Frantzy[1].

Scène 26

TACHEFER, *seul.* – Oui, elle m'aimait. J'avais tort d'en douter. Allons ! J'emporterai la bénédiction d'un ange ! (*Il s'assied et écrit en parlant tout haut.*) Henri, vous pouvez épouser Victorine. Elle n'est pas ma fille. En voici les preuves... ci incluses. (*Il prend d'autres papier dans la cassette*). Elle est héritière de la moitié de mes biens, ne les refusez pas, distribuez-les aux pauvres. Adieu, je vous confie Victorine ! Emmenez-la auprès de votre mère. Quand vous recevrez cette lettre, je serai mort. Je déclare que je quitte la vie de mon plein gré, après que vous me l'avez accordée et garantie. TACHEFER DE BEAULIEU. (*Il regarde l'heure après un instant de rêverie et de recueillement, ferme la lettre après y avoir mis les papiers, se lève, la met sous la porte du fond et revient prendre des pistolets dans le fond de la cassette.*) À présent, je vous remercie, mon Dieu, de la grâce que vous me faites en me condamnant à expier, après avoir réparé mes crimes... J'étais un lâche... Je reculais cette réparation, je voulais vivre !... Vivre en laissant souffrir mes dernières victimes !... Non, ce n'était pas juste ! Je le sentais bien ; aussi en me châtiant, je me délivre. Ayez pitié de moi, mon Dieu !

Il se tue.

Présence de George Sand, n° 14, juin 1982.

1. Servante de l'auberge.

Le fantastique

• Dès le début du récit, le lecteur est plongé dans un univers inquiétant : il sait qu'il va entendre une histoire qui fait peur ; la confrontation entre le narrateur et Taillefer prend rapidement une tournure énigmatique ; l'atmosphère du dîner, apparemment tranquille, devient soudain plus pesante. Cette mise en scène est complétée par des références à Hoffman et Walter Scott, qui annoncent l'un des thèmes dominants du récit : **sa dimension fantastique**. L'histoire racontée baigne dans une atmosphère très sombre : le cadre nocturne, le contexte de guerre, les circonstances mystérieuses et particulièrement macabres du meurtre, la condamnation de Prosper Magnan sollicitent l'imagination du lecteur, tout comme l'étrange coïncidence qui permet de dévoiler la vérité.

Le rêve, le cauchemar, le somnambulisme

• *L'Auberge rouge* développe également d'autres thèmes chers aux romantiques : ceux **du rêve**, du cauchemar et de manifestations apparentées, comme l'hallucination et le somnambulisme, particulièrement présents dans l'aventure de Prosper Magnan. Le personnage est en proie à divers états de conscience qui l'éloignent de la raison et le plongent dans des formes de délire plus ou moins accentuées, jusqu'à le faire douter de ce qui s'est réellement déroulé.

Le thème du double

• L'un des thèmes les plus insistants du récit est celui du **double**, qu'illustre particulièrement le couple Prosper Magnan/Frédéric Taillefer. Initialement présentés sans distinction marquée, ils ne se différencient que par les circonstances qui font que le second accomplit le crime imaginé par le premier dans les moindres détails. Ils sont les deux faces d'un même personnage qui se dédouble pourtant en deux figures antithétiques. Le thème du double se retrouve dans la double apparence de Taillefer pendant le dîner, tantôt gaie et rieuse, tantôt sombre et cadavérique selon qu'il se sent ou non observé. Plus généralement, ce thème se prolonge dans le recours permanent à la dualité : des récits, des narrateurs, des enquêteurs, des justices… Source de jeux de substitutions, de méprises et d'erreurs sur les personnes et les faits, il est lié à la question de la **quête de la vérité**, autre thème essentiel de l'œuvre.

Le secret

• L'ensemble de la nouvelle repose sur le **secret** que porte Taillefer et que le narrateur va peu à peu dévoiler. Ceci explique que l'on ait pu voir dans *L'Auberge rouge* un des ancêtres du **roman policier**. En effet, le ressort essentiel de l'action est l'élucidation d'un crime pour lequel le véritable assassin est resté impuni. Mais au-delà de la résolution de la simple énigme, le récit livre aussi un secret plus important : l'origine impure, voire criminelle, des fortunes acquises pendant la trouble période de la Révolution. C'est une partie du **substrat social suspect** de son époque que Balzac révèle à son lecteur, ainsi que **l'amoralité** de ceux qui, comme le narrateur lui-même, finissent par s'accommoder de cette situation, voire en tirer parti. Le secret est évidemment au cœur de la recherche de la vérité qu'il s'agit de (re)trouver.

Les idées philosophiques

• L'ambition philosophique de Balzac est ici d'illustrer ses idées sur la **toute-puissance de la pensée** : capable de devenir action, elle détruit néanmoins celui qu'elle possède lorsqu'elle dépasse les limites de la raison. Prosper Magnan, comme Taillefer, atteint d'un mal mystérieux qui le ronge lentement sans le tuer immédiatement, en sont des exemples.

Par ailleurs, comme le montre le titre de la seconde partie, l'œuvre se veut une **réflexion sur la justice**, dans ses deux dimensions, humaine et divine, et sur leur interaction, ainsi qu'en témoigne le désaccord sur la légitimité des agissements du narrateur entre lui-même et sa voisine.

• Dans la logique du débat philosophique, Balzac implique également le lecteur en l'invitant, par une fin ouverte et une absence de solution, à se forger lui-même son point de vue.

Lecture transversale 1

À quel genre littéraire appartient *L'Auberge rouge* ?

Retour au texte

1 • Relisez la description du lieu du crime et son exécution. Quel problème, relatif à l'enchaînement des faits, soulèvent-elles ?

2 • Relevez quelques termes, au hasard du récit, qui contribuent à créer une atmosphère irréelle.

Interprétations

Un récit policier ?

3 • Relevez les types de personnages et de situations qui apparentent l'œuvre à un récit policier.

4 • Analysez la méthode utilisée par les « enquêteurs » pour parvenir à élucider le secret initial. Comment la qualifieriez-vous ?

5 • Peut-on dire que cette élucidation est effective pour le lecteur à la fin du récit ?

Un récit onirique et fantastique ?

6 • Relevez les principaux passages du récit qui font référence au rêve et aux états seconds de la conscience.

7 • Parmi les hypothèses relatives aux conditions du crime, quelles sont celles qui relèvent du domaine du rêve et des états seconds de la conscience ?

8 • Quel éclairage les deux textes (p. 77-78) apportent-ils sur cette question ?

Un récit philosophique ?

9 • Le narrateur qualifie de « problème de haute morale et de philosophie » la situation dans laquelle il se trouve à la fin. Expliquez ce que signifie cette expression.

10 • Quelles autres situations de l'histoire peuvent être rapprochées de celle-ci ? Le terme « philosophique » vous semble-t-il approprié pour les désigner ?

Et vous ?

Exposé

Vous recenserez les diverses hypothèses concernant la manière dont s'est déroulé le crime et vous discuterez de leur validité. Vous prendrez appui sur l'ensemble des indices du texte.

Texte 1 • Anne-Marie Meininger, Introduction à *L'Auberge rouge*, 1980

Le texte passe en revue les différents genres desquels on peut rapprocher L'Auberge rouge. *Il permet ainsi de montrer les emprunts très divers de Balzac.*

L'Auberge rouge ne relève qu'en apparence du genre policier avec assassinat, fausse piste, erreur judiciaire et criminel à la fin démasqué. En réalité, l'œuvre est bien « philosophique » comme l'a voulue Balzac dès sa rédaction en 1831, et bien à sa place là où il l'a mise dans *La Comédie humaine* : non parmi les *Études de mœurs* dont il faisait préciser par Félix Davin[1] en 1834 qu'elles peindraient « la société dans tous ses effets », mais parmi les *Études philosophiques* qui « en constateront les causes ». Retenons les mots « en constateront ».

Pour Maurice Bardèche[2], dans *L'Auberge rouge*, les questions « sont à la fois posées et éludées » : « au fond », Balzac « n'est pas un moraliste ». Mais Balzac veut-il être un moraliste ? Il n'élude nullement les questions, il cherche seulement à les poser. Il ne vise nullement à fournir une morale, mais seulement à faire réfléchir chacun sur des causes constatées.

1. Auteur de l'Introduction à *L'Auberge rouge* en 1834.
2. Auteur de *Balzac romancier* (Plon, 1940).

Texte 2 • Anne-Marie Baron, « Balzac et la nouvelle », 1999

Anne-Marie Baron envisage dans cet extrait plusieurs facettes de L'Auberge rouge, *indiquant plusieurs axes de lecture possibles et soulignant la richesse de l'œuvre.*

L'intrigue n'est pas seulement policière, mais psychologique. Balzac soutient l'idée de l'autonomie et de la matérialité de la pensée. Passionné par les états seconds de la conscience, il voit dans l'histoire de Magnan la confirmation de l'hypothèse selon laquelle, dans certaines circonstances, la pensée peut avoir la force de faire exécuter des actes auxquels la conscience ne prend aucune part. On mesure la modernité d'une telle prescience de l'inconscient freudien et même de la forclusion lacanienne[1], ce mécanisme de défense qui abolit complètement la réalité dans la conscience du sujet et dans son inconscient, ce qui la différencie du refoulement. Le réel, dont il ne veut rien savoir, fait retour par des voies détournées ; hallucinations, symptômes corporels, traces écrites, trahissent alors la présence sous-jacente de cette réalité symboliquement abolie. Il n'existe donc pas de crime si parfait qu'il ne se trahisse concrètement par les symptômes du criminel aux yeux d'un observateur.

Mais cette nouvelle est surtout *tragique*. Car Prosper Magnan, jeune médecin, militaire consciencieux, bon fils une fois de plus – et on voit à quel point le thème de la maternité obsède Balzac –, est assommé par l'accusation qui pèse sur lui. Qu'a-t-il fait pour mériter d'être détruit ? A-t-il vraiment commis ce crime ? Sa propension à s'accuser est même le signe de son innocence, c'est-à-dire de sa nature de médecin scrupuleux et de jeune homme pur.

1. Lacan, psychanalyste rénovateur de la théorie freudienne.

Retour au texte

1 • À qui Hermann assimile-t-il symboliquement Prosper Magnan lorsqu'il fait sa connaissance en prison ?

2 • Quel genre de prénom donne-t-il à Frédéric au début du récit ? Que pensez-vous de ces deux détails ?

Interprétations

Prosper et Frédéric : un criminel aux deux visages ?

3 • Quels sont les points communs de Prosper et Frédéric au début du récit d'Hermann ?

4 • En quoi peut-on dire que Frédéric accomplit les projets de Prosper tout au long du récit ?

5 • Que peut suggérer l'hypothèse, avancée par Prosper, d'un acte commis en état de somnambulisme sur sa relation à Frédéric ? (Aidez-vous, pour répondre, du texte de Pierre-Georges Castex, p. 80-81.)

Hermann et le narrateur : un enquêteur aux deux visages ?

6 • Pourquoi Hermann éprouve-t-il le besoin de raconter cette histoire ?

7 • Comment interprétez-vous son départ silencieux lorsque le narrateur propose de lui révéler l'identité de l'assassin ?

8 • Quelles relations peut-on établir entre les buts de chacun des narrateurs ?

Le narrateur et sa voisine

9 • Quels rôles la voisine du narrateur joue-t-elle dans le récit ? Étudiez plus particulièrement son comportement à l'égard de Taillefer, en le comparant avec celui du narrateur.

10 • Comment interprétez-vous son rire sardonique lorsqu'elle révèle au narrateur l'identité de Victorine ?

Et vous ?

Expression écrite/argumentation

Pensez-vous que le narrateur ait eu raison de vouloir connaître la vérité à tout prix ? Justifiez votre point de vue.

Pierre-Georges Castex, « Balzac et Nodier », 1962

Ces extraits montrent comment Nodier et Balzac se font mutuellement des emprunts dans le contexte de l'époque et combien ils s'intéressent au fantastique. Ils montrent également les choix personnels de Balzac et son originalité.

Il semble d'ailleurs que, pour l'affabulation de *L'Auberge Rouge*, Balzac se soit souvenu d'un autre texte de Nodier. M. Le Yaouanc[1] a suggestivement rapproché d'un épisode de ce conte un fragment de l'essai *De Quelques Phénomènes du Sommeil*, publié dans la *Revue de Paris* en février 1831, où étaient analysés, avec exemples à l'appui, certains cas pathologiques de somnambulisme et de cauchemar. On sait combien l'auteur des *Études philosophiques* s'est lui-même intéressé aux états seconds de la conscience : dans ce domaine, Charles Nodier fut pour lui un incitateur, sinon un guide.

L'essai de Nodier contient l'histoire d'un jeune peintre italien qui, descendu dans une hôtellerie pleine, a dû partager le seul lit vacant avec un autre voyageur : bouleversé par la circonstance, ce compagnon le conjure de lui lier les pieds et les mains, car il est sujet aux crises d'un « exécrable somnambulisme ». Le narrateur ajoute d'extravagants détails qui apparentent son récit aux fables vampiriques si fort à la mode dans les années 1820, et encore en 1830.

Balzac s'est gardé de suivre Nodier dans de telles débauches d'imagination. Mais le personnage principal de son *Auberge Rouge*, Prosper Magnan, est la victime d'une aventure analogue. [...]

Dans *L'Auberge Rouge*, Prosper Magnan, tenté par les cent mille francs sur lesquels s'est endormi son compagnon de chambre, s'égare au point de brandir un couteau de chirurgien au-dessus de la tête du dormeur, puis jette l'arme sur le lit, où les enquêteurs la découvrent ; il est bientôt entouré de soldats, en présence d'une foule curieuse, puis condamné à mort et fusillé. Dans *La Fée aux Miettes*[2], Michel, le héros, a appris que son voisin de lit a cent mille livres dans son portefeuille ; en un état second qui n'est pas tout à fait le sommeil, il croit apercevoir un monstre menaçant qui convoite l'argent et il frappe à toute volée avec un poignard qu'on retrouve dans sa main ; lui aussi condamné à mort, il doit affronter, lui aussi, les regards d'une foule curieuse ; mais, plus heureux que Prosper Magnan, il échappe de justesse aux conséquences de l'erreur judiciaire. Les analogies entre les deux contes sont trop nombreuses et trop précises pour qu'on y voie des coïncidences. Le monstre combattu par Michel est peut-être d'ailleurs pour Nodier un symbole des mauvaises pensées libérées par le cauchemar et jouerait ainsi un rôle analogue à celui des images coupables qui se forment dans l'esprit de Prosper Magnan au bord du sommeil. Balzac, en la circonstance, a vraiment été un inspirateur de Charles Nodier.

1. Spécialiste de Balzac, auteur d'un ouvrage sur les maladies dans la *Comédie humaine*.
2. Ouvrage de Charles Nodier (1832).

Retour au texte

1 • Étudiez précisément les personnages qui ont un nom, ceux qui n'en ont pas, ceux qui en empruntent ou en changent.

2 • De même relevez les lieux et les dates qui sont précisés et ceux qui restent flous. Quels constats pouvez-vous faire ?

Interprétations

Des vases communicants ?

3 • De combien d'histoires différentes est constitué le récit ? (Aidez-vous, pour répondre, du début du texte, p. 15 à 16, et de la structure de l'œuvre, p. 64-65). Analysez de quelle manière elles sont mises en relation aux niveaux des personnages et du cadre spatio-temporel.

4 • En vous appuyant sur vos relevés des questions 1 et 2, dites sur quelle histoire le lecteur a le plus de précisions (personnages, lieux, temps).

5 • Comment expliquez-vous cette différence de traitement ?

Une relation à risques ?

6 • Quelle similitude et quelle complémentarité présentent les deux narrations d'Hermann et du narrateur ? (Aidez-vous, pour répondre, du texte de François Bilodeau, p. 83.)

7 • Selon vous, l'histoire du narrateur et de Victorine présente-t-elle un intérêt par rapport à celle racontée par Hermann ?

Un lecteur « contaminé » ?

8 • À qui le lecteur est-il successivement invité à s'identifier pour comprendre cette histoire ?

9 • Que lui demande-t-on implicitement de faire à la fin du récit ?

10 • Peut-on dire qu'il est à son tour victime de cette histoire ? (Aidez-vous, pour répondre, du texte de François Bilodeau, p. 83.)

Et vous ?

Écriture d'invention

L'un des dix-sept amis du narrateur raconte l'histoire de ce dernier. Imaginez le début de son récit.

François Bilodeau, *Balzac et le jeu des mots*, 1971

Le texte livre une interprétation globale de L'Auberge rouge *et explique la manière dont l'agencement du récit conduit chaque auditeur à endosser, sous diverses formes, une partie de la responsabilité du crime originel en le forçant malgré lui à s'y associer.*

Le récit de *L'Auberge rouge* se situe à plusieurs niveaux : il y a celui de Hermann qui raconte un récit, il y a celui de Taillefer se situant à la fois dans ce récit raconté et dans l'actualité de la narration, il y a celui du narrateur qui constate les réactions de Taillefer et, enfin, celui du lecteur distant à la fois du récit et de la narration qui lui en est faite. Or, à tous ces niveaux, se retrouve la logique de l'histoire du crime. Hermann veut amuser par une histoire innocente ; en fait, par l'intermédiaire du narrateur, il blesse cruellement Taillefer ; la pensée de son action criminelle conduit Taillefer à la mort aussi sûrement que l'action elle-même aurait dû le faire. Quant au narrateur, conduit par la seule curiosité de savoir et par le seul plaisir de démystifier, il se voit lié par ce qu'il a connu ; par l'intermédiaire de Victorine Taillefer qu'il aime, il se voit pris dans un dilemme insoluble : ou bien il épouse Victorine et se fait « complice du crime sur lequel repose l'opulence de la famille Taillefer », ou bien il fuit celle qui l'aime déjà et fait payer à la fille innocente le crime du père. Pour lui comme pour Hermann et pour Taillefer, le récit d'une histoire qui semble appartenir au monde de l'imaginaire a de grandes conséquences dans le réel. La connaissance perd son innocence pour se trouver liée à ce qu'elle a connu ; on ne peut pas jouer gratuitement avec la pensée. Et voilà que le lecteur se voit pris lui aussi dans cette dialectique où l'imaginaire l'engage dans le réel ; Balzac, en effet, ne nous donne pas la réponse à la question que se pose le narrateur à propos de son mariage avec Victorine. Le lecteur se voit invité à prolonger sa rêverie et à prendre position pour ou contre ce mariage ; ce faisant, il se lie à la dialectique du récit et se voit impliqué malgré lui dans le crime de *L'Auberge rouge*.

Vers l'écrit du bac

Le personnage en quête d'identité

▸ **Objet d'étude : le roman et la nouvelle au XIXe siècle : réalisme et naturalisme**

Retour sur *L'Auberge rouge*

1. Comment s'exprime la dualité des personnages dans la nouvelle ?
2. Michel Butor écrit : « Frédéric Taillefer, c'est presque Prosper Magnan somnambule ; ces deux personnages pourraient très bien en être un seul divisé par le mur du sommeil. » Qu'en pensez-vous ?

Corpus complémentaire

Document A – Théophile Gautier, *Avatar* (1856)

Octave de Saville est follement amoureux de la comtesse Prascovie Labinska, mais celle-ci n'aime que son mari, le comte Olaf. Grâce aux pouvoirs extraordinaires du savant Balthazar Charbonneau, Octave réussit à échanger son apparence physique avec celle du comte et à prendre sa place. Mais la comtesse, sans se douter de la substitution, n'est pourtant pas dupe et le repousse…

La comtesse se leva et rentra dans ses appartements.

Octave, resté seul, jouait avec le manche d'un couteau qu'il avait envie de se planter au cœur, car sa position était intolérable : il avait compté sur une surprise, et maintenant il se trouvait engagé dans les méandres sans issue pour lui d'une existence qu'il ne connaissait pas : en prenant son corps au comte Olaf Labinski, il eût fallu lui dérober aussi ses notions antérieures, les langues qu'il possédait, ses souvenirs d'enfance, les mille détails intimes qui composent le moi d'un homme, les rapports liant son existence aux autres existences : et pour cela tout le savoir du docteur Balthazar Cherbonneau n'eût pas suffi. Quelle rage ! être dans ce paradis dont il osait à peine regarder le seuil de loin ; habiter sous le même toit que Prascovie, la voir, lui parler, baiser sa belle main avec les lèvres mêmes de son mari, et ne pouvoir tromper sa pudeur céleste, et se trahir à chaque instant par quelque inexplicable stupidité ! « Il était écrit là-haut que Prascovie ne m'aimerait jamais ! Pourtant j'ai fait le plus grand sacrifice auquel puisse descendre l'orgueil humain : j'ai renoncé à mon *moi* et consenti à profiter sous une forme étrangère de caresses destinées à un autre ! »

Il en était là de son monologue quand un groom s'inclina devant lui avec tous les signes du plus profond respect, en lui demandant quel cheval il monterait aujourd'hui…

Document B – Guy de Maupassant, *Madame Hermet* (1887)

Le narrateur, mystérieusement attiré par les fous, est mis en présence, par un ami médecin, de l'une de ses malades, madame Hermet, une femme aux symptômes étranges…

Pourtant les fous m'attirent toujours, et toujours je reviens vers eux, appelé malgré moi par ce mystère banal de la démence.

Or, un jour, comme je visitais un de leurs asiles, le médecin qui me conduisait me dit :

« Tenez, je vais vous montrer un cas intéressant. »

Et il fit ouvrir une cellule où une femme âgée d'environ quarante ans, encore belle, assise dans un grand fauteuil, regardait avec obstination son visage dans une petite glace à main.

Dès qu'elle nous aperçut, elle se dressa, courut au fond de l'appartement chercher un voile jeté sur une chaise, s'enveloppa la figure avec grand soin, puis revint, en répondant d'un signe de tête à nos saluts.

« Eh bien ! dit le docteur, comment allez-vous, ce matin ? »

Elle poussa un profond soupir.

« Oh ! mal, très mal, Monsieur, les marques augmentent tous les jours. »

Il répondit avec un air convaincu :

« Mais non, mais non, je vous assure que vous vous trompez. »

Elle se rapprocha de lui pour murmurer :

« Non. J'en suis certaine. J'ai compté dix trous de plus ce matin, trois sur la joue droite, quatre sur la joue gauche et trois sur le front. C'est affreux, affreux ! Je n'oserai plus me laisser voir à personne, pas même à mon fils, non, pas même à lui ! Je suis perdue, je suis défigurée pour toujours. »

Elle retomba sur son fauteuil et se mit à sangloter.

Le médecin prit une chaise, s'assit près d'elle, et d'une voix douce, consolante :

« Voyons, montrez-moi ça, je vous assure que ce n'est rien. Avec une petite cautérisation je ferai tout disparaître. »

Elle répondit « non » de la tête, sans une parole. Il voulut toucher son voile, mais elle le saisit à deux mains si fort que ses doigts entrèrent dedans.

Il se remit à l'exhorter et à la rassurer.

« Voyons, vous savez bien que je vous les enlève toutes les fois, ces vilains trous, et qu'on ne les aperçoit plus du tout quand je les ai soignés. Si vous ne me les montrez pas, je ne pourrai point vous guérir. »

Elle murmura :

« À vous encore je veux bien, mais je ne connais pas ce monsieur qui vous accompagne.

– C'est aussi un médecin, qui vous soignera encore bien mieux que moi. »

Alors elle se laissa découvrir la figure, mais sa peur, son émotion, honte d'être vue la rendaient rouge jusqu'à la chair du cou qui s'enfonçait dans sa robe. Elle baissait les yeux, tournait son visage, tantôt à droite, tantôt à gauche, pour éviter nos regards, et balbutiait :

« Oh ! Je souffre affreusement de me laisser voir ainsi ! C'est horrible, n'est-ce pas ? C'est horrible ? »

Je la contemplais fort surpris, car elle n'avait rien sur la face, pas une marque, pas une tache, pas un signe ni une cicatrice.

Elle se tourna vers moi, les yeux toujours baissés et me dit :

« C'est en soignant mon fils que j'ai gagné cette épouvantable maladie, Monsieur. Je l'ai sauvé, mais je suis défigurée. Je lui ai donné ma beauté, à mon pauvre enfant. Enfin, j'ai fait mon devoir, ma conscience est tranquille. Si je souffre, il n'y a que Dieu qui le sait. »

Le docteur avait tiré de sa poche un mince pinceau d'aquarelliste.

« Laissez faire, dit-il, je vais vous arranger tout cela. »

Elle tendit sa joue droite et il commença à la toucher par coups légers, comme s'il eût posé dessus de petits points de couleur. Il en fit autant sur la joue gauche, puis sur le menton, puis sur le front ; puis il s'écria :

« Regardez, il n'y a plus rien, plus rien ! »

Elle prit la glace, se contempla longtemps avec une attention profonde, une attention aiguë, avec un effort violent de tout son esprit, pour découvrir quelque chose, puis elle soupira :

« Non. Ça ne se voit plus beaucoup. Je vous remercie infiniment. »

Le médecin s'était levé. Il la salua, me fit sortir puis me suivit ; et, dès que la porte fut refermée :

« Voici l'histoire atroce de cette malheureuse », dit-il.

Document C – Edgar Allan Poe, *William Wilson* (1839)

William Wilson est un jeune homme qui domine les autres élèves du collège où il vit par la force incontrôlable de son caractère. Mais il a un rival qui lui résiste et, coïncidence, porte le même nom et présente nombre de similitudes avec lui…

Il me donnait la réplique avec une parfaite imitation de moi-même, – gestes et paroles, – et il jouait admirablement son rôle. Mon costume était chose facile à copier ; ma démarche et mon allure générale, il se les était appropriées sans difficulté ; en dépit de son défaut constitutionnel, ma voix elle-même ne lui avait pas échappé. Naturellement, il n'essayait pas les tons élevés, mais la clef était identique, *et sa voix, pourvu qu'il parlât bas, devenait le parfait écho de la mienne.*

À quel point ce curieux portrait (car je puis ne pas l'appeler proprement une caricature) me tourmentait, je n'entreprendrai pas de le dire. Je n'avais qu'une consolation, – c'était que l'imitation, à ce qu'il me semblait, n'était remarquée que par moi seul, et que j'avais simplement à endurer les sourires mystérieux et étrangement sarcastiques de mon homonyme. Satisfait d'avoir produit sur mon cœur l'effet voulu, il semblait s'épanouir en secret sur la piqûre qu'il m'avait infligée et se montrer singulièrement dédaigneux des applaudissements publics que le succès de son ingéniosité lui aurait si facilement conquis. Comment nos camarades ne devinaient-ils pas son dessein, n'en voyaient-ils pas la mise en œuvre, et ne partageaient-ils pas sa joie moqueuse ? Ce fut pendant plusieurs mois d'inquiétude une énigme insoluble pour moi. Peut-être la lenteur graduée de son imitation la rendit-elle moins voyante, ou plutôt devais-je ma sécurité à l'air de *maîtrise* que prenait si bien le copiste, qui dédaignait la *lettre*, – tout ce que les esprits obtus peuvent saisir dans une peinture, – et ne donnait que le parfait esprit de l'original pour ma plus grande admiration et mon plus grand chagrin personnel.

Trad. de Charles Baudelaire.

Sujet de bac (séries générales)

Question *(4 pts)*

Étudiez comment chaque personnage du corpus vit les troubles de son identité.

Travaux d'écriture *(16 pts)*

Commentaire :

Vous ferez un commentaire du document A.

Dissertation :

Le thème du double, en littérature (roman, théâtre, poésie), comme dans d'autres arts (cinéma, bandes dessinées), modifie-t-il, selon vous, le rapport que peut avoir le lecteur ou le spectateur avec un personnage de fiction ?

Écriture d'invention :

Vous imaginerez le récit du médecin racontant ce qui a conduit madame Hermet à la folie (document B).

Illustration d'Arthur Rackham pour la nouvelle d'Edgar Poe *William Wilson*, 1935.

Analyse d'images

Quel secret révèle l'image du double ?

Dossier central images en couleurs

Retour aux images

1 • Que représentent, selon vous, les formes peintes à droite des deux personnages du document II ?

2 • Que fait le personnage de la photographie du film (doc. III) ? Comment interprétez-vous son geste ?

3 • Comment l'illustrateur représente-t-il respectivement William Wilson et son double (doc. IV) ?

Interprétations

Le double : le même ou un autre ?

4 • Comparez les deux visages dans le document I : que suggèrent-ils quant à la relation entre les deux personnages ?

5 • Faites le même travail sur la représentation des personnages dans les documents II et III. Que pouvez-vous en conclure globalement ?

6 • Comment interprétez-vous le titre du tableau de Magritte, *Le Sens de la nuit* (doc. II) ? En quoi le mot « sens » peut-il être appliqué aux autres documents ?

Le double : La face cachée ?

7 • Dans le tableau de Magritte (doc. II), comment interprétez-vous la relation entre le personnage et son double (aidez-vous, si besoin, de votre réponse à la question 1) ?

8 • Dans les documents I, III et IV, que révèle la figure du double sur le personnage ? Par quels moyens ?

9 • Quelles relations voyez-vous entre ces personnages et le couple formé par Prosper Magnan et Frédéric Taillefer ?

Et vous ?

Expression écrite

Vous répondrez librement à la question suivante, en vous aidant des analyses précédentes et en donnant vos arguments : le personnage « réel » pourrait-il être le « double de son double » ?

Affiche de *Dr. Jekyll et Mr. Hyde*, film de Rouben Mamoulian (1931)

La nouvelle de R.L. Stevenson, *L'Étrange Cas du Dr Jekyll et Mr Hyde*, traite du thème du double en relation avec le Bien et le Mal qui, selon l'auteur, se partagent la personnalité de chaque individu. Elle est devenue un véritable mythe moderne qui a fait l'objet de nombreuses adaptations cinématographiques.

René Magritte, *Le Sens de la nuit* (1927)

René Magritte, l'un des peintres surréalistes les plus connus, a maintes fois exploré le thème du double, qui rencontrait chez lui la question de la représentation imaginaire de l'objet réel. Cette peinture offre un exemple très représentatif de ses interrogations, dans les premières années de sa carrière.

Photo extraite du *Portrait de Dorian Gray*, film de Oliver Parker (2009)

Cet ouvrage d'Oscar Wilde évoque le thème du double au travers de la relation entre un personnage et le portrait de lui qu'un ami peintre a exécuté. Le tableau prend progressivement les signes de vieillissement et d'avilissement tandis que le personnage garde sa beauté et sa pureté apparente. Mais ce dernier n'est pas dupe…

Illustration de Harry Clarke pour *William Wilson* d'Edgar Allan Poe (1923)

Dans la nouvelle d'Edgar Poe, William Wilson, le héros éponyme est poursuivi par son double dont on ne peut savoir s'il est maléfique ou au contraire l'expression de sa conscience qui l'empêche d'accomplir ses forfaits. L'illustration représente le dénouement de l'histoire : William Wilson tue son double d'un coup d'épée et se détruit ainsi lui-même.

Un roman philosophique : quelles limites au pouvoir de la pensée ?

L'Auberge rouge fait partie de la section *Études philosophiques* dans le vaste ensemble de *La Comédie humaine*. Balzac semble implicitement justifier ce choix à la fin du récit, lorsque le narrateur décide de soumettre au vote de ses amis la question de son mariage avec Victorine Taillefer, et qu'il parle à cet instant d'un « problème de haute morale et de philosophie ». Dans sa jeunesse, Balzac s'est en effet intéressé à cette dernière discipline et il présente un certain nombre des récits des années 1830 comme des études philosophiques. Michel Butor souligne que ce terme d'« études » peut avoir plusieurs sens, selon qu'on l'envisage dans des contextes différents (musical, pictural), avec pour point commun l'idée d'essai ou de travail destiné à approfondir une difficulté particulière. Quels problèmes philosophiques l'œuvre cherche-t-elle à examiner ? De la réponse à cette question dépendent largement les interprétations que l'on peut en donner. On s'attachera ici plus particulièrement au rôle et à la puissance de la pensée, qui préoccupent Balzac en 1831.

1 • Quel éclairage l'Introduction de Félix Davin apporte-t-elle sur les intentions philosophiques de Balzac (texte 1, p. 93) ? En quoi la mort de maître Cornélius illustre-t-elle ses thèses (texte 2, p. 94) ?

2 • Comment comprenez-vous la formule d'Alain : « Si les pensées tuaient, que de crimes ! » (texte 3, p. 95) ? Mettez-la en relation avec les deux premiers textes (p. 93-94).

3 • Quelle relation François Bilodeau (texte 4, p. 96) établit-il entre la pensée et le réel dans l'œuvre de Balzac ? Comparez son point de vue avec celui de Félix Davin dans le texte.

4 • De manière globale, vous discuterez la thèse de Balzac (texte 1, p. 93) en vous efforçant d'en évaluer la pertinence à partir d'exemples précis.

Texte 1 • Félix Davin, Introduction aux *Études philosophiques* de Balzac, 1834

Félix Davin développe la thèse centrale de la pensée de Balzac qu'il voit s'exprimer d'abord dans La Peau de chagrin *: la puissance destructrice de l'« idée ». Il est probable que Balzac lui-même a inspiré ces lignes.*

Après avoir poétiquement formulé, dans *La Peau de chagrin*, le système de l'homme, considéré comme organisation, et en avoir dégagé cet axiome[1] : « La vie décroît en raison directe de la puissance des désirs ou de la dissipation des idées », l'auteur prend cet axiome comme un cicérone[2] prend la torche pour vous introduire dans les souterrains de Rome, il vous dit : « Suivez-moi ! Examinons le mécanisme dont vous avez vu les effets dans les *Études de mœurs !* » Alors il fait passer sous vos yeux les sentiments humains dans ce qu'ils ont de plus expressif en comptant sur votre intelligence pour revenir par des dégradations aux crises moins fortes dont se composent les événements de la vie individuelle. Il s'élance, il montre l'*idée* exagérant l'*instinct*, arrivant à la passion, et qui, incessamment placée sous le coup des influences sociales, devient désorganisatrice. […]

Vient ensuite *Maître Cornélius*, cette forte étude historique, où l'on retrouve si nettement dessinés les traits les plus curieux de cette grande figure de Louis XI, toujours incomplètement reproduite dans les tableaux des romanciers ou dramaturges ; et là, voyez quelle inévitable logique ! c'est l'idée Avarice tuant l'avare dans la personne du vieil argentier. *Le Chef-d'œuvre inconnu* nous montre l'art tuant l'œuvre ; première initiation à la tragédie de *Louis Lambert*. Dans *L'Auberge rouge*, cette sanglante histoire d'un parvenu, la plus terrible peut-être qu'ait imaginée M. de Balzac, se trouve une analogie magnifiquement exécutée entre l'idée d'un crime et le crime même. Là, selon nous, à part les détails de cette composition, se rencontrent les plus sévères déductions du thème général.

1. Vérité évidente et universelle.
2. Guide touristique.

Texte 2 • Honoré de Balzac, *Maître Cornélius*, 1831

Cette nouvelle a été écrite très peu de temps après L'Auberge rouge. *L'avarice du personnage principal le conduit à se voler lui-même dans un état somnambulique et à dissimuler sa fortune dans un lieu qu'il ignore. Une fois découvert le secret de son somnambulisme, il n'a plus qu'une idée, qui finit par le tuer : ne pas révéler malgré lui la cachette de son trésor.*

L'idée la plus vivace et la mieux matérialisée de toutes les idées humaines, l'idée par laquelle l'homme se représente lui-même en créant en dehors de lui cet être tout fictif, nommé la *propriété*, ce démon moral lui enfonçait à chaque instant ses griffes acérées dans le cœur. Puis, au milieu de ce supplice, la Peur se dressait avec tous les sentiments qui lui servent de cortège. En effet, deux hommes avaient son secret, ce secret qu'il ne connaissait pas lui-même. Louis XI ou Coyctier[1] pouvaient aposter[2] des gens pour surveiller ses démarches pendant son sommeil, et deviner l'abîme ignoré dans lequel il avait jeté ses richesses au milieu du sang de tant d'innocents ; car auprès de ses craintes veillait aussi le Remords. Pour ne pas se laisser enlever, de son vivant, son trésor inconnu, il prit, pendant les premiers jours qui suivirent son désastre, les précautions les plus sévères contre son sommeil ; puis ses relations commerciales lui permirent de se procurer les antinarcotiques les plus puissants. Ses veilles durent être affreuses ; il était seul aux prises avec la nuit, le silence, le remords, la peur, avec toutes les pensées que l'homme a le mieux personnifiées, instinctivement peut-être, obéissant ainsi à une vérité morale encore dénuée de preuves sensibles. Enfin, cet homme si puissant, ce cœur endurci par la vie politique et la vie commerciale, ce génie obscur dans l'histoire, dut succomber aux horreurs du supplice qu'il s'était créé. Tué par quelques pensées plus aiguës que toutes celles auxquelles il avait résisté jusqu'alors, il se coupa la gorge avec un rasoir.

1. Médecin de Louis XI.
2. Installer à un poste pour guetter, faire un mauvais coup.

Texte 3 • Alain, *Avec Balzac*, 1937

Alain, philosophe français, s'est particulièrement intéressé à L'Auberge rouge *qu'il considérait comme un récit important dont il indique ici les enjeux philosophiques.*

[Le narrateur], qui est amoureux de la fille du très riche Taillefer, entend, au dessert, et racontée par un naïf Allemand, l'histoire d'un crime dont l'auteur est resté inconnu. Quelques réactions de Taillefer lui font supposer que ce banquier est l'assassin. Quelques perfides questions mettent la chose hors de doute. Et cela fait déjà un sombre drame, et un cas de conscience pour celui qui n'aime pas moins les millions que la fille. Tout se termine, puisqu'il faut bien enterrer les morts, et que Taillefer est mort, par une consultation burlesque. Puis-je épouser ? Après bien des raisons, un honnête homme trouve le mot de la fin : « Imbécile, pourquoi lui as-tu demandé s'il était de Beauvais ? » Comme a dit de Gourmont[1], l'inconvénient de chercher la vérité, c'est qu'on la trouve.

Or ce drame ne fait qu'entourer l'autre, comme un cadre. Et l'autre drame, celui que raconte le bon Allemand, va bien plus avant dans l'homme. Il s'agit d'un crime d'intention, médité au détail, et conduit jusqu'au seuil de l'exécution [...]. Au réveil il se trouve que le crime est fait, par un camarade vraisemblablement, mais qui n'a point laissé de trace ; et tout accuse l'innocent. Tout l'accuse, et lui-même n'est pas bien sûr d'être innocent, car il a été tenté, car il n'a été sauvé que par une sorte de convulsion involontaire. Est-ce vertu ? Est-ce innocence ? Pendant qu'il débat cette question avec lui-même, et avec un prisonnier plein de pitié, qui est le narrateur, pendant qu'il discute avec lui-même son propre droit et sa propre défense, l'instruction du crime se fait promptement, et devant un accusé qui se défend mal. Bref il se laisse fusiller. Si les pensées tuaient, que de crimes !

1 Rémy de Gourmont (1858-1915), romancier, journaliste critique d'art.

Texte 4 • François Bilodeau, *Balzac et le jeu des mots*, 1971

François Bilodeau reprend la thèse de l'idée qui tue, en l'intégrant dans une réflexion sur les rapports de l'imaginaire et du réel dans l'univers de Balzac.

Remarquons que l'idée du crime ne fait pas que l'effleurer ; il la reçoit et la vit pleinement. Pourtant, après en avoir épuisé la saveur amère, il refuse de l'engager dans le réel. Il lui a suffi de rêver le crime ; il ne veut pas le vivre dans la réalité. Il fuit et puise dans une rêverie de l'enfance la force de dormir près d'une fortune sans chercher à la prendre. Mais à son réveil, il se rend compte que le crime a eu lieu comme il l'avait imaginé et avec l'arme qu'il avait choisie ! Bien plus, il a assumé le crime en identifiant au rythme de l'horloge – c'est-à-dire à la loi du temps – le rythme du sang qui coule, comme si ce sang, selon la loi du temps, devait inéluctablement couler à ce moment précis ; sans cette erreur, il aurait donné l'alarme et il aurait sans doute échappé aux soupçons qui le conduiront à la peine de mort. L'imaginaire a pris corps dans l'espace et dans le temps. Le recours à la profonde transparence de l'enfance et à l'innocence d'une conscience pure n'a pas réussi à le protéger contre le vertige du réel ; *dans les faits et malgré elle, la pensée a perdu sa condition de pensée pour se faire action.* Cette « réalisation » de la pensée se fait par un intermédiaire – Taillefer accomplit le rêve de Prosper – et conduit à une situation sanglante – le choix d'un crime pour incarner la dialectique du rêve impliqué dans le réel malgré lui et provoquant une mort reste significatif. [...]

Toujours le rêve se voit lié au réel, jamais la pensée ne peut s'exercer sans se modifier. Voilà le drame troublant de *L'Auberge rouge*, voilà ce qui en fait, par-delà son apparence anodine, un des récits balzaciens où la vie intérieure de l'homme, sur le plan des structures narratives, se trouve évoquée d'une façon magistrale.

Question d'actualité

Peut-on expliquer un « passage à l'acte » ?

Dans la plupart des affaires criminelles, les autorités policières et judiciaires cherchent à rendre compte des motivations qui ont poussé le meurtrier à agir : il y a (presque) toujours des raisons de tuer. Parfois cependant, des faits défient toute analyse. Ces actes, que l'on qualifie volontiers d'incompréhensibles, voire de « monstrueux », faute de pouvoir les intégrer dans le cadre rassurant d'une « explication » humaine, ont souvent passionné les écrivains, fascinés par ce passage à l'acte qui échappe en apparence à toute(s) raison(s). Mais en réalité peut-on vraiment comprendre ce moment où un être humain « décide » de tuer, quelles que soient les motivations qui l'animent ? Balzac, dans *L'Auberge rouge*, nous révèle celles de Prosper Magnan, qui suspend pourtant son geste au dernier moment, mais nous dérobe celles de Taillefer qui, lui, l'accomplira. Les textes réunis dans le dossier examinent chacun à leur manière l'énigme du passage à l'acte : nous éclairent-ils davantage que Balzac sur ce moment où tout bascule ?

1 • Pourquoi, selon vous, le meurtrier ne peut-il toucher sa victime (texte 1, p. 98) ? Qu'éprouve-t-il à cet instant ?

2 • Quelle attitude l'assassin adopte-t-il par rapport à son acte ? Quel rôle fait-il jouer aux personnes qui ont assisté au procès (texte 3, p. 100) ? Comparez avec ce que dit Roberto Zucco dans le texte de Koltès (texte 2, p. 99).

3 • Globalement, quelle(s) impression(s) dominantes éprouvez vous en lisant les textes du dossier (p. 98 à 100) ? Que nous disent-ils sur l'acte criminel ?

Texte 1 • André Malraux, *La Condition humaine*, 1933

Au début de La Condition humaine, *André Malraux, sans expliciter le contexte, décrit les pensées et gestes d'un homme qui doit en tuer un autre. Cette scène, « exemplaire » en quelque sorte, présente dans son dépouillement un acte initial, que les mythologies ont souvent représenté : le meurtre.*

« Assassiner n'est pas seulement tuer… » Dans ses poches, ses mains hésitantes tenaient, la droite un rasoir fermé, la gauche un court poignard. Il les enfonçait le plus possible, comme si la nuit n'eût pas suffi à cacher ses gestes. […] Il éleva légèrement le bras droit, stupéfait du silence qui continuait à l'entourer, comme si son geste eût dû déclencher quelque chute. Mais non, il ne se passait rien : c'était toujours à lui d'agir. […]

Un seul geste, et l'homme serait mort. Le tuer n'était rien : c'était le toucher qui était impossible. Et il fallait frapper avec précision. Le dormeur, couché sur le dos, au milieu du lit à l'européenne, n'était habillé que d'un caleçon court, mais, sous la peau grasse, les côtes n'étaient pas visibles. Tchen devait prendre pour repères les pointes sombres des seins. Il savait combien il est difficile de frapper de haut en bas. Il tenait donc le poignard la lame en l'air, mais le sein gauche était le plus éloigné : à travers le filet de la moustiquaire, il eût dû frapper à longueur de bras, d'un mouvement courbe comme celui du swing. Il changea la position du poignard : la lame horizontale. Toucher ce corps immobile était aussi difficile que frapper un cadavre, peut-être pour les mêmes raisons. Comme appelé par cette idée de cadavre, un râle s'éleva. Tchen ne pouvait plus même reculer, jambes et bras devenus complètement mous. Mais le râle s'ordonna : l'homme ne râlait pas, il ronflait. Il redevint vivant, vulnérable ; et, en même temps, Tchen se sentit bafoué. Le corps glissa d'un léger mouvement vers la droite. Allait-il s'éveiller maintenant ! D'un coup à traverser une planche, Tchen l'arrêta dans un bruit de mousseline déchirée, mêlé à un choc sourd.

Texte 2 • Bernard-Marie Koltès, *Roberto Zucco*, 1990, édition posthume

Bernard-Marie Koltès s'est librement inspiré d'un fait divers authentique pour écrire sa pièce, l'histoire d'un tueur fou. Alors qu'il a déjà commis plusieurs assassinats, ce dernier exprime sa peur à l'égard de la foule qui pourrait le reconnaître.

ZUCCO. – Si on me prend, on m'enferme. Si on m'enferme, je deviens fou. D'ailleurs je deviens fou, maintenant. Il y a des flics partout, il y a des gens partout. Je suis déjà enfermé au milieu de ces gens. Ne les regardez pas, ne regardez personne.

LA DAME. – Est-ce que j'ai l'air d'avoir l'intention de vous dénoncer ? Imbécile. Je l'aurais fait depuis longtemps. Mais ces connards me dégoûtent. Vous, vous me plaisez plutôt.

ZUCCO. – Regardez tous ces fous. Regardez comme ils ont l'air méchant. Ce sont des tueurs. Je n'ai jamais vu autant de tueurs en même temps. Au moindre signal dans leur tête, ils se mettraient à se tuer entre eux. Je me demande pourquoi le signal ne se déclenche pas, là, maintenant, dans leur tête. Parce qu'ils sont tous prêts à tuer. Ils sont comme des rats dans les cages des laboratoires. Ils ont envie de tuer, ça se voit à leur visage, ça se voit à leur démarche ; je vois leurs poings serrés dans leurs poches. Moi, je reconnais un tueur au premier coup d'œil ; ils ont les habits pleins de sang. Ici, il y en a partout ; il faut se tenir tranquille, sans bouger ; il ne faut pas les regarder dans les yeux. Il ne faut pas qu'ils nous voient ; il faut être transparent. Parce que sinon, si on les regarde dans les yeux, s'ils s'aperçoivent qu'on les regarde, s'ils se mettent à nous regarder et à nous voir, le signal se déclenche dans leur tête.

Texte 3 • Vincent Message, *Les Veilleurs*, 2009

Oscar Nexus a tué trois personnes en pleine rue, puis il s'est aussitôt endormi sur les cadavres de ses victimes. Tel est le point de départ étrange du roman de Vincent Message. Voici la première « explication » que l'assassin donne de son geste, au début du récit.

Trois morts. On est très loin du crime de masse. C'est trop juste pour mériter l'appellation honteusement galvaudée de tueur en série. Trois habitants d'une ville qui en compte plus de cinq millions : en sciences on parlerait de quantité négligeable. J'aurais fait ça plus discrètement que personne n'aurait remarqué leur départ. Il n'y a que les autistes pour compter jusqu'à cinq millions sans se paumer en chemin. Morts par balles, qui plus est. Quand on sait que tout criminel qui a le sens du commerce, aujourd'hui, séquestre sa victime, la viole, puis la découpe sur un coin de nappe pour en faire son quatre-heures – en passe par ces étapes obligées, indispensables à l'acquisition d'un peu de renommée médiatique – il faut se rendre à l'évidence : la mort qui vient de moi est douce. Elle ne porte pas atteinte à la dignité humaine. Elle respecte très bien ces conventions humanitaires qui disent comment c'est qu'il faut faire pour trucider selon les règles, qui établissent jusque dans les détails où s'arrête le meurtre légal et où commence la transgression, l'infraction aux droits de l'homme.

Qu'est-ce qu'ils me veulent, au fond ? Qu'est-ce qu'ils auraient voulu voir au procès ? Un monstre qui satisfait sagement aux critères les plus répandus de la monstruosité – ou bien l'individu honorable en fin de compte pas différent d'eux qui s'explique, dit qu'il regrette infiniment et qu'il s'est un peu laissé emporter. Bien sûr que je me suis laissé emporter. Bien sûr, en un sens, que je ne voulais pas. J'étais *ailleurs*. Je faisais *autre chose* que ce qu'ils ont pu voir. Ce n'est pas pour autant que je leur dois des excuses. Ma tristesse, je me permets de la réserver aux trois morts : souvent je leur parle à mi-voix, et j'ai tout lieu de croire qu'ils m'entendent.

Rencontre avec

Michel Butor
Écrivain

Michel Butor est connu du grand public comme un écrivain rattaché au groupe du Nouveau Roman (Nathalie Sarraute, Alain Robbe-Grillet, Claude Simon). Après avoir enseigné le français et la philosophie, Michel Butor a suivi une carrière universitaire comme professeur de littérature, tout d'abord aux États-Unis, puis en France et finalement en Suisse jusqu'en 1991.
Il s'est intéressé de très près aux œuvres de Balzac, et notamment à *L'Auberge rouge*.

▶ *Balzac est l'auteur sur lequel vous avez le plus écrit. Vous avez signalé plusieurs fois son importance pour votre œuvre personnelle. Quelles sont les raisons de cet intérêt jamais démenti ?*

J'ai beaucoup lu Balzac et à chaque reprise j'ai été frappé par la différence entre ce que je découvrais et l'image habituelle que l'on donnait de cet auteur. J'ai donc essayé de laver en quelque sorte sa statue, de lui rendre son extraordinaire actualité.

▶ *Vous avez consacré un cours entier aux récits philosophiques de Balzac à l'université de Genève en 1979-1980. Pouvez-vous indiquer quelle place occupe selon vous cette partie de la* Comédie humaine *?*

Balzac a divisé son œuvre en trois groupes d'« études » : *Études de mœurs*, *Études philosophiques* et *Études analytiques*. À l'origine, les trois groupes devaient avoir à peu près la même dimension. Les *Études de mœurs* ont grandi considérablement par rapport aux deux autres. Les *Études philosophiques* devaient éclairer par des récits symboliques les forces dont les *Études de mœurs* montraient l'activité dans la vie contemporaine.

▶ *Dans ce cours, vous étudiez* L'Auberge rouge *en insistant sur les thèmes du double et du somnambulisme. Pouvez-vous expliquer ce qui justifie ces axes de lecture ?*

Ce sont deux thèmes essentiels du romantisme allemand dont Balzac nous déclare que son récit est très proche.

▶ *Vous avez associé* L'Auberge rouge *à un autre récit de la même période,* Maître Cornélius. *Quels sont, selon vous, les liens entre ces deux œuvres ?*

Ce sont deux énigmes policières qui sont résolues par le recours à ce qui nous paraît aujourd'hui ressortir au fantastique.

▶ *Pensez-vous que la question de l'origine des fortunes à l'époque de Balzac soit un élément déterminant de* L'Auberge rouge *? De manière plus générale, quel est l'impact des événements de la Révolution française dans l'univers de Balzac ?*

Le thème de l'origine de la fortune est essentiel dans toute l'œuvre de Balzac. Ceux qui sont riches ne méritent pas leur richesse ; elle n'est nullement la récompense d'une qualité, mais au contraire le résultat d'un crime. La Révolution française a tout déplacé, elle est l'explication de l'état actuel de la société. Il faut toujours y revenir.

▶ *Vous avez dit qu'il fallait « lire tout Balzac ». Pour orienter le lecteur dans cette entreprise, quelle est selon vous la relation à établir entre* L'Auberge rouge *et les autres récits de Balzac ? Par où continuer ?*

J'ai dit qu'il fallait lire toute *La Comédie humaine*, ce qui est déjà considérable. Il resterait encore les *Contes drolatiques*, les romans de jeunesse, la correspondance avec Mme Hanska, etc. Le mieux, pour continuer, c'est de prendre les œuvres où reparaît Frédéric Taillefer en banquier : *La Peau de chagrin* et *Le Père Goriot*.

L'Auberge rouge et le thème du double

Dans *L'Auberge rouge*, un des deux personnages prépare sans le savoir les actions de l'autre. Qui est l'auteur de l'acte ? Bien sûr, c'est le second, celui qui le mène à bien ; pourtant il ne l'aurait pas fait sans doute à lui tout seul ; nous avons un « agent » qui se divise en deux personnalités. […]

Taillefer est un personnage double. Il y a un masque : le banquier, le bon père, la boule blanche ; et il y a une réalité qui survit et se rappelle de temps en temps à la conscience : c'est le meurtrier, la boule rouge.

Double, Taillefer a un double : Prosper Magnan. Quand Hermann raconte l'histoire de Prosper Magnan, nous nous rendons compte peu à peu que c'est celle de Frédéric Taillefer. En nous racontant les rêveries de Prosper Magnan, il nous raconte du même coup ce qu'a fait Taillefer quelques instants après. […] Frédéric Taillefer, c'est presque Prosper Magnan somnambule ; ces deux personnages pourraient très bien en être un seul divisé par le mur du sommeil.

Michel Butor, *Le Marchand et le Génie. Improvisations sur Balzac I*,
Éditions de la Différence, 1998, chap. 15 et 16.

• Honoré de Balzac, *La Peau de chagrin*, 1831

Écrit la même année que L'Auberge rouge, *ce roman y fait directement référence par la présence du banquier Taillefer. Dans une atmosphère fantastique, Balzac développe des thèmes similaires : l'origine inavouable des fortunes et sa réflexion philosophique sur le bon usage de l'énergie vitale notamment.*

• Honoré de Balzac, *Maître Cornélius*, 1831

Balzac publie ce récit situé au Moyen Âge quelques mois après L'Auberge rouge. *On y retrouve les thèmes centraux du somnambulisme et du double ainsi qu'une énigme « policière », résolue par un enquêteur prestigieux, le roi Louis XI en personne.*

• Charles Nodier, *La Fée aux miettes*, 1832

Ce conte s'inspire, dans un épisode, de L'Auberge rouge. *Les deux auteurs échangèrent par ailleurs leurs idées sur les phénomènes liés au sommeil. Les deux œuvres témoignent du goût de l'époque pour la littérature fantastique.*

• Edgar Allan Poe, *Histoires extraordinaires*, 1856

Par leur atmosphère et leur thématique, les Histoires extraordinaires *font penser à* L'Auberge rouge. *On pourra lire également, dans* Les Nouvelles histoires extraordinaires, William Wilson, *une nouvelle sur le thème du double.*

• Fedor Dostoïevski, *Crime et Châtiment*, 1866

Œuvre majeure de l'écrivain, ce roman philosophique raconte le crime d'un jeune homme persuadé de la légitimité de son geste. Au terme d'un long parcours intérieur, il reconnaîtra son erreur, se dénoncera et acceptera son châtiment. On notera diverses similitudes de situations, mais aussi de réflexion, avec la nouvelle de Balzac.

• Bernard-Marie Koltès, *Roberto Zucco*, Les Éditions de Minuit, 1990

Librement inspirée d'un fait divers réel, cette pièce de théâtre met en scène un tueur aux motivations complexes, dominé par une pulsion de mort. Elle donne l'occasion de réfléchir sur le passage à l'acte dans l'accomplissement d'un crime.

- **Emmanuel Carrère, *L'Adversaire*, POL, 1999**

  À partir d'un fait divers réel et d'entretiens avec son protagoniste principal, l'auteur explore les motivations qui ont pu pousser un homme à dissimuler à ses proches pendant de longues années la vérité sur son mode de vie, puis à les tuer avant qu'elle ne soit découverte.

- ***L'Auberge rouge*, film de Jean Epstein, 1923**

  Ce film muet restitue bien l'atmosphère fantastique du livre. Le metteur en scène a par ailleurs adapté certaines œuvres d'Edgar Allan Poe.

- ***Roberto Succo*, film de Cedric Kahn, 2001**

  Une version cinématographique du même fait divers qui a inspiré la pièce de Koltès, mais qui, contrairement au livre, ne fait pas du personnage principal un héros monstrueux. Roberto Succo perd ici toute sa dimension mythique et redevient un cas clinique.

Table des illustrations

Conception graphique : Julie Lannes
Design de couverture : Denis Hoch
Recherche iconographique : Claire Balladur
Mise en page : STDI
Édition : Valérie Antoni

Pour Frédérique, en souvenir de Beauvais...

Impression & brochage SEPEC - France
Numéro d'impression : 06601160928 - Dépôt légal : septembre 2016
Numéro de projet : 10227517

COLLÈGE

LYCÉE

85 **Apollinaire**, *Alcools*
33 **Balzac**, *Gobseck*
60 **Balzac**, *L'Auberge rouge*
47 **Balzac**, *La Duchesse de Langeais*
18 **Balzac**, *Le Chef d'œuvre inconnu*
72 **Balzac**, *Pierre Grassou*
32 **Beaumarchais**, *Le Mariage de Figaro*
20 **Corneille**, *Le Cid*
78 **Corneille**, *Médée*
56 **Flaubert**, *Un cœur simple*
77 **Hugo**, *Les Contemplations : Pauca Meae*
49 **Hugo**, *Ruy Blas*
31 *L'Encyclopédie*
75 *L'Homme en débat au* XVIIIe *siècle*
48 **Marivaux**, *L'Île des esclaves*
57 **Marivaux**, *Les Acteurs de bonne foi*
19 **Maupassant**, *La Maison Tellier*
69 **Maupassant**, *Une partie de campagne*
55 **Molière**, *Amphitryon*
15 **Molière**, *Dom Juan*
79 **Molière**, *Le Misanthrope*
35 **Molière**, *Le Tartuffe*
63 **Musset**, *Les Caprices de Marianne*
14 **Musset**, *On ne badine pas avec l'amour*
82 *Nouvelles réalistes et naturalistes*
46 **Racine**, *Andromaque*
66 **Racine**, *Britannicus*
30 **Racine**, *Phèdre*
13 **Rimbaud**, *Illuminations*
50 **Verlaine**, *Fêtes galantes et romances sans paroles*
45 **Voltaire**, *Candide*
88 **Voltaire**, *Zadig*